ネットと朝ドラ

木俣 冬

Real Sound Collection

blueprint

ネットと朝ドラ

カバーイラスト＝六角堂DADA
装丁＝川名 潤

ネットと朝ドラ　目次

まえがき

進化する朝ドラ語り

ネットで「朝ドラ」を検索したら約29、500、000件もの記事がヒットした（2021年6月25日19時25分）。かくも朝ドラの記事は多い。シンプルな明日の回のあらすじから、放送後のレビュー、まじめな評論、ちょっと揶揄するもの、SNSの反応を取り上げたもの、史実との違いを指摘した記事、スタッフ、キャストのインタビュー等々……硬軟問わず様々なネット媒体に朝ドラの記事が数え切れないほど掲載され、それが常に記事のランキングの上位に食い込んでいる。

昭和にはじまった朝ドラがなぜ、60年以上も国民的番組であり続けているのか。平成、令和にセカンドブレイクのようになった理由は。最大の要因はネット、SNSとうまく連動できたからであろう。この本では、ネットで話題を呼んだ朝ドラについて掘り下げる。

「朝ドラ」とはNHKの「連続テレビ小説」の愛称である。1961年からはじまったご長寿シリーズだ。筆者は2015年4月から毎日朝ドラレビューを書きはじめた。2020年3月までは月~土まで、20年4月からは月~金と毎日で、少なく見積もっても月20本強、年間240本以上の朝ドラ記事を書いていることになる。番組広報からもらった情報を毎日のようにあげている媒体記者を別にしたら日本で最も朝ドラ記事を書いていると自負する。

毎日レビューをはじめて2年後の2017年に筆者は『みんなの朝ドラ』（講談社現代新書）という朝ドラ研究の新書を上梓した。そこでトライしたことは、2010年以降の朝ドラを中心に女性の生き方の歴史とドラマの関連性を読み解くことだった。取り上げた作品数は11作。

主として2011年以降に放送された作品を取り上げ、例外として31作目にして今後この作品を超えるものはないであろうほどの朝ドラの絶対王者となった、明治、大正、昭和を生きた女性の一生を描く『おしん』（1983年度）、2000年代、最初の作品でシングルマザーを描いた先見性のある『私の青空』（2000年度前期）を加えた。あとの9作は、女性が男性を超えるときの男性の尊厳にも着目した『カーネーション』をはじめとして、地元で生きることを選ぶ『あまちゃん』（2013年度前期）、専業主婦の『ごちそうさん』（2013年度後期）、道ならぬ恋を肯定的に描いた『花子とアン』（2014年度前期）、国際結婚夫婦の『マッサン』（2014年度後期）、現代の十代のなりたい職業ナンバーワンのパティシエを目指すなろう系とも言える『まれ』（2015年度前期）、男社会の中、男性と並んで実業家となる『あさが来た』（2015年度後期）、生涯独身ヒロインの『とと姉ちゃん』（2016年度前期）、第一次ベビーブームの『べっぴんさん』（16年度後期）と並ぶ。

『ネットと朝ドラ』はヒロインたちの属性を時代の要請によるものと見做した『みんなの朝ドラ』とは違う視点を意識したものになる。『みんなの朝ドラ』で主として取り上げた作品が「朝ドラ2・0」だとしたら本書が俎上に載せるのは「朝ドラ3・0」である。

長きにわたる朝ドラを便宜上、以下のように考えてみたい。

- 朝の連続テレビ小説時代（黎明期）
- 連続テレビ小説時代＝朝ドラ時代（1996年度後期『ふたりっ子』以降） テレビから一方的に受け取る時代
- 朝ドラ2・0（2000年 8時00分開始以降） ドラマをSNSで双方向に楽しむ時代
- 朝ドラ3・0（2017年以降） ドラマをSNSを通し視聴者それぞれが朝ドラ語りを細分化していく時代

なぜ、2017年以降と定義したか。それには理由がある。2017年から18年にかけて朝ドラに関する新書が一斉に3冊発売された年である。拙著が2017年5月、他に9月、18年の4月と出た。それだけ朝ドラ語りが一般化された証であろう。

拙著『みんなの朝ドラ』で、震災をきっかけに多くの人が使うようになったTwitterが『あまちゃん』以降、朝ドラをみんなで語らうツールになったと指摘した。ドラマにとってTwitterが格好の宣伝ツールとなった2013年以降、ドラマが積極的にSNSを意識したつくり方にシフトしてドラマとSNSの双方向性を楽しむものになっていった。それが朝ドラ2・0であると考える。このスタイルが極まっていくにつれ、よりユーザーの個人的な〝自分ごと〟に物語が回収されていくのが見てとれる。朝ドラヒロインがロールモデルを描き、視聴者が一般的な話として見てきたものがSNSを介するうちに〝自分ごと〟になっていくのだ。自分だけの朝ドラ語りが確立されていく。それが3・0だ。

次章から1作ずつ分析していく前に、ここで大まかに、本書で主に取り上げる各作品の属性を紹介しておきたい。

2017年以降の作品の属性

『ひよっこ』　時代設定：昭和。昭和の高度成長期の4年間を描く。主人公・みね子（有村架純）は洋食店で働く平凡な人物。争いを好まず、その場を笑ってやり過ごしてしまうような子。心の中でやや毒を吐くこともあるが、自分のことより他人を優先してしまうお人好しだ。相手役

（磯村勇斗）も、勤勉な善人で、ヒロインと同じく平凡だ。これまでの朝ドラだったら、初恋の御曹司（竹内涼真）と反対を押し切って結ばれて、嫁ぎ先で苦労してという波乱万丈なドラマが描かれそうなところ、それを回避した。

『わろてんか』 時代設定：明治から昭和。主人公・てん（葵わかな）は京都の薬種問屋のお嬢様で、女ながら寄席を経営するも、自我は強くない。ひたすら夫ファースト。夫・藤吉（松坂桃李）はドラマの中盤で亡くなり、てんは幽霊を心の支えに生きる。

『半分、青い。』 時代設定：昭和から平成。主人公・鈴愛（永野芽郁）は片耳失調というハンディキャップをもっているが決して自身を悲劇のヒロインにはしない。猛然と孤高の戦いを挑んでいく。漫画家、１００円ショップ店員、扇風機の発明、シングルマザーと様々な経験を経て、中年になってからようやくソウルメイトであり幼馴染の律（佐藤健）と結ばれる。

『まんぷく』 時代設定：昭和。主人公・福子（安藤サクラ）は専業主婦として夫・萬平（長谷川博己）に尽くす。このドラマで注目したいのは、器量がよろしくない設定であることをわざわざ描いていることだ。第1回でホテルに就職し「器量よしは表（フロント業務）へ、そうでないのは裏方へ（電話交換手）」と知り「え？　あたし、器量悪いん？」とはじめて認識する。ヒロイン＝「美しい」「かわいい」でない、ルッキズムへの配慮が感じられる。

『なつぞら』時代設定：昭和。主人公・なつ（広瀬すず）は戦争孤児。だからかわいそうという考え方とは無縁に生きている。育ての祖父（草刈正雄）からは「無理して笑わなくていい」と言われて愛想笑いを一切しない。ヒロイン＝愛嬌がいい。健気。というようなイメージから離れている。

『スカーレット』時代設定：昭和。主人公・喜美子（戸田恵梨香）は夫（松下洸平）と一児をもうけながらも離婚し陶芸の道に邁進する。朝ドラでは主人公が住む場所を転々とすることが多いが、喜美子は結婚後も生まれ育った家にずっと住んでいる（幼少期に大阪から滋賀に移り住み、高校卒業後一度だけ大阪で生活したが戻ってきた）ことが特徴的だ。

『エール』時代設定：明治から昭和。主人公は男性の裕一（窪田正孝）。モデルは稀代のヒットメーカー・古関裕而でいわゆる大河的偉人。裕一は音楽と出会うまでは引っ込み思案だった。成人してからも内向的で繊細で、戦時中は戦時歌謡を作るが、戦後はそのことに責任を感じる。

『おちょやん』時代設定：大正から昭和。主人公・千代（杉咲花）は松竹新喜劇で活躍した俳優・

浪花千栄子をモチーフにして描かれた、バイタリティのある人物。父にも夫にも捨てられるが、捨てられたのではなく自分で捨てたという観点で辛抱強く生きていく。

『おかえりモネ』　時代設定：平成から令和。主人公・百音（清原果耶）は東日本大震災以降、自己肯定感が低くなり、無力感に苛まれている。「私、なにもできなかった」という悔恨を乗り越えて、いま、できることを探そうとする。

『カムカムエヴリバディ』　時代設定：大正から令和。主人公は3人。娘を残して消息不明になる安子（上白石萌音）、額に傷をもち家庭を持つこと幸せになることに消極的なるい（深津絵里）、何をしていいかわからないまま7年つきあった恋人に振られるひなた（川栄李奈）と従来のヒロインとは趣を異にするB面的なヒロインたちである。

『ひよっこ』から『カムカムエヴリバディ』まで舞台になった時代は様々だ。主人公の生まれも明治、大正、昭和、平成とばらばらである。『モネ』と『カムカム』では物語が令和まで描かれ、そのためコロナ禍を思わせるマスク着用姿も登場するなど、時代を記録するかのような描写は過去の朝ドラを踏襲している。だが、かつてのように、主人公が、その時代の先端を行くような職業を目指し、高みに上っていき、視聴者がそれに憧れるような、ロールモデルになりえるようなムードは朝ドラからなくなりかかっている。

ヒロイン像が変化した理由

筆者は以前、「『べっぴんさん』『ひよっこ』『わろてんか』２０１７年の朝ドラヒロインは脱・元気」（「otocoto」２０１７年12月30日）という記事を書いたことがある。３作のヒロインはハツラツと動いたり、しゃべったりしない。彼女たちは、理不尽で悲しい状況に、力で対抗もしない、やわらかな身振りで状況に馴染んでいく。その傾向は２０１７年以降も顕著になっていった。そうなった理由は２０１１年の東日本大震災、２０２０年から続くコロナ禍、それによる経済の縮小などを日本人が経験してきたこともあるだろう。

時代を象徴する職業や生き方の先端を行く主人公の輝く姿よりもこの時代にどう折り合いをつけて生きていくか悩む者、あるいは、先頭に立つ人たちの脇にひっそり生きている者の存在がネットで可視化されるようになっていったからか、男性優位の社会の下、女性がもっと社会に積極的に出て先頭に立って輝いていきたいというようなテーマがすっかりなりを潜めていく。逆に、物静かで内向的で先頭に立たず、裏方的な人物が主人公となる。だが彼ら、彼女らの立ち位置が恵まれていないとネガティブに解釈する必要もない。彼らは悲しいわけでも、負けたわけでもない。だからこそどんなときでも笑うように頑張らなくてもいい、無理に笑わなくてもいい。自分の尊厳を大切に、自分らしく生きるという目線になっていく。

周囲の登場人物も個性が際立って群像劇化していく。例えば、『モネ』では長い年月、シェアハウスの一室にこもっている宇田川さんという人物（声を一回発したのみ）が出てきたり、『カムカム』では二代目ヒロイン（深津絵里）の夫（オダギリジョー）が原因不明の病気で何も仕事をしないまま20年経過したのち、ようやく一歩を踏み出したり、何かをするまでに長い時間を経てもいいことを描くことも増えてきた。

『スカーレット』は生家に手を入れながらずっと暮らしている。朝ドラでもよく描かれてきたやどかりのように住む場所を変え、仕事を変え、徐々に生活を豊かにしていくような人生プランがすべてではないのだ。

「がんばれ」と言う言葉をかけられると辛くなる人がいるという。がんばれば報われる。元気に前を向いて。そんなことが空疎に響くほど、人生に疲れ、途方に暮れてしまったら、どうしたらいいのだろうか。朝ドラヒロインの条件と言われていた「明るく、元気に、さわやか」でなくてもいい、「何かを成し遂げる」ことがなくてもいい。朝ドラ全体にそういう空気が支配しているように感じるのが、２０１７年『ひよっこ』以降である。

こうなると、ともすれば物語まで内省的で小さくまとまりかねない。それはそれで魅力的だが、国民的番組という立場上、多くの視聴者の支持も得なくてはならないだろう。その分、構成に工夫が凝らされて朝ドラが注目されていくのが２０１７年以降である。

朝ドラ3・0時代は朝ドラとSNSとの連携の工夫によって物語が変化、進化していく過渡期に当たる。

以下は朝ドラとSNSとの相性の良かった点に特化する。ここを読んで気になった作品を次章から読んでみてほしい。

SNSで話題になったポイント

『ひよっこ』 ミステリー仕立て。記憶喪失の父を探すヒロインの都会の冒険譚的な風情がある。主人公の裏の声。ふだんおとなしい主人公が心のなかでは意外と毒づいている。

『わろてんか』 あくまでオーソドックスな時代ものとして進行したが最終回で、登場人物たちの劇中劇としてそれまでの彼らの歩みを総集編的な見せ方にした。夫が死んだ中盤以降、土曜日の回に夫の幽霊を登場させることが話題になった。

『半分、青い。』 ラブストーリーの女王・北川悦吏子によるど直球のラブストーリー。脚本家によるTweetで「神回」予告。作家が自らTwitterを利用して、ドラマの面白さを視聴者に伝えていったことと、「半分白目」というハッシュタグのついたアンチアカウントが発生し、賛否両論によって盛り上がった。

『まんぷく』イケメンを数多く出すことで作る「推し」の楽しみ。ヒロインの母の「私は武士の娘です」という決めゼリフ、主人公の夫の3度に渡る逮捕等、SNSのネタになりそうなポップな要素満載。

『なつぞら』北海道、アニメ、朝ドラ歴代ヒロインの登場……と『まんぷく』に次いでSNSのネタになりそうな要素満載。劇中にオリジナルのアニメを何作も挿入し、元ネタ探しでSNSは沸いた。アニメつながりで人気声優も数多く出演した。

『スカーレット』小説のようにストーリーを繊細に紡いでいくことで、物語の余白を楽しむ視聴者の心を掴んだ。その一方で、本編にスピンオフを挟み込むというはじめての試みも行われた。八郎が人気となり、「八郎沼」というワードができた。

『エール』序盤、主人公が結婚するまでは、福島の主人公と静岡のヒロインのターンを1週間毎に交互に放送し、ふたりが結婚して東京で暮らすことで一本道になる。また、途中で脇役のスピンオフを1週間で3本立てという構成にトライした。最終回は人気楽曲のコンサート形式。物語の最終回は1回前の回で描いた。

『おちょやん』『半沢直樹』や『コンフィデンマンJP』などで人気の逆転ストーリー構造。稀代の毒父に対してはネガティブな意見が多かったがネットで話題が拡散され番組の周知に生かされた。ヒロインへの花かごの送り主の伏線は全体の重要な鍵になりながら、視聴者の考察を促すいい仕掛けに。

『おかえりモネ』妹の「お姉ちゃん津波見てないもんね」のセリフが伏線になっていた。主人公と彼女を取り囲む人々の内省が視聴者の共感を呼んだ。菅波が人気となり、「#俺たちの菅波」というワードがSNSを彩った。

『カムカムエヴリバディ』3人ヒロインでほぼ2カ月ずつ、戦後、バブル期、現代と3つの時代を描く。本編の各シーンの年代をテロップで出さず、当時放送されていた朝ドラで年代を表す仕掛け。タイトルバックのように3つの時代が重なる瞬間をドラマで作り出すダイナミズム。

『半分、青い。』で「神回」というワードがSNSを賑わせ、『まんぷく』『なつぞら』では、

SNSで話題にのぼりそうなネタを大量に準備していたが、『おちょやん』『モネ』『カムカム』になると、構造にも工夫がこらされ、視聴者が好む「伏線」「考察」を意識したものになる。それがじつは『ひよっこ』で行われていたことが興味深い。

視聴者は登場人物の生き方に共感を寄せながら、それだけではなく、ドラマのあちこちに凝らされた仕掛けを見抜き、SNSはその発表の場になっている。

では、これから各作品を制作者たちの取材も交えながら深掘りしていこう。各作品がネット社会とどのように呼応していたか論じるとともに、参考として、筆者がドラマ放送時に各ネットメディアに発表したレビューやインタビュー記事を適宜配置した。メディアごとのトーン&マナーに沿っているため、文体が異なる記事もあるが、ネットのライブ感覚を残すため、できる限りそのまま掲載している。

第1章
『ひよっこ』
何も成さないヒロイン

2017年4月3日～2017年9月30日（全156回）
脚本：岡田惠和／制作統括：菓子浩／プロデューサー：山本晃久／演出：黒崎博、田中正、福岡利武、渡辺哲也／主演：有村架純
あらすじ：東京オリンピック目前の1964年。茨城県の農家で育った高校3年生の谷田部みね子は、東京に出稼ぎに出た父の失踪をきっかけに集団就職で上京する。トランジスタラジオ工場で働きながら父探しを始めるが、1年もせずに不況で工場が倒産。行き場をなくしたみね子だったが、かつて父が出稼ぎの際に立ち寄ったことのある赤坂の洋食屋で働き始めることになる。高度成長期下の東京で懸命に生きる人々と出会う中で、みね子は都会での生活を着実に歩んでいく。

朝ドラはここから変わった。

『ひよっこ』総論に変えて　岡田惠和インタビュー

『ひよっこ』（2017年度前期）は岡田惠和の脚本による3作目の朝ドラである。長距離走のような朝ドラが自分には向いていると岡田は、拙著『みんなの朝ドラ』でインタビューしたときに語っていた。

平和な毎日の祈りとしての朝ドラ

岡田にとっての朝ドラの魅力は、半年という長い放送期間によって登場人物の生活をじっくりとゆっくりと書けるからだと言う。これは少し意外な意見でもある。朝ドラは主人公の波乱万丈な人生ないしは半生を描くものという印象もあるからだ。

一時期、『あさが来た』（2015年度後期）に代表される〝女の大河ドラマ〟のような作品が人気だった朝ドラだが、紆余曲折ある人生よりも何気ない日々の暮らしを描く朝ドラもあっていい。岡田はそのジャンルを確立させたといえるだろう。岡田による初の朝ドラである現代劇『ちゅらさん』（２００1年度前期）がそのはじまりで、高度成長期を舞台にした『ひよっこ』である種の完成形をつくった。

岡田の朝ドラのうち『おひさま』（２０１１年度前期）だけは主人公が青春時代に未曾有の戦争を体験している。戦地に赴いた夫を待つ日々などの重い出来事もあるが、それらを年をとった主人公が思い出話として偶然知り合った主婦にに語り聞かせるという形をとった。未曾有の大きな出来事も登場人物の日常のおしゃべりの題材にしているのである。

『ちゅらさん』『おひさま』『ひよっこ』と岡田恵和の朝ドラは〝おしゃべり〟の朝ドラである。登場人物たちが何気ない毎日を気のおけない人たちとおしゃべりしながら過ごす。誰かの家で、喫茶店で、飲み屋で、どうでもいいことから真面目なことまでしゃべっているとき、いつまでもこの時間が続いたらいいなあと心地よく思うときがある。岡田恵和の朝ドラはその流れていく時間そのものだ。

『みんなの朝ドラ』で筆者が書いた、朝ドラは平和な毎日の祈りのようなものであり、朝ドラが毎日続いている間は世の中が平和の証だという感覚は、岡田恵和の朝ドラから感じたことのような気がする。『おひさま』は戦争を経た人の日常、『ちゅらさん』は沖縄が本土に復帰したあとの沖縄の人たちの日常で、主人公は戦争を、戦後沖縄がアメリカに統治されていたことを実体験していない。そして、２０１７年にはじまった『ひよっこ』の主人公・みね子（有村架純）

も戦争を知らない子どもである。

高度成長期に生きた日本人たちは、どん底期が終わって、コツコツ生きれば暮らしぶりは必ずよくなっていく状況にある。これから日本が豊かになっていくのだと上を向いて生きていく人々。とはいえ日本人全員が同じような生活レベルにあるわけでは決してない。だから、最も発展している東京に地方の人たちは出稼ぎにやって来る。

たいていの人たちは慎ましく生きている。みね子もそのひとりだ。何か大きな目標があるわけではなく、世の中を変革させたいというような考えもない。1966年、ビートルズが大人気で来日することになっても、みね子が歯磨きをたくさん買ってコンサートのチケットを当てようと頑張る理由は自分の楽しみのためではなく、ビートルズ好きの叔父・宗男（峯田和伸）のためだ。

時代の主流に属さないヒロイン・みね子

第13週からはじまったビートルズ来日にまつわるエピソードの頃から『ひよっこ』の世帯視聴率は上がっていった。それまでは20％を超えることがなかったのが、ここで連日20％を超える。ビートルズというキャッチーな題材があるとはいえ、彼らの曲はかからない（理由は31ページのインタビューをご参照ください）。にもかかわらず注目されたのは、第13週から第15週まで2週間もかけたビートルズ来日にまつわる人間ドラマが視聴者の心を打ったからであろう。

みね子と同じアパートに住む島谷（竹内涼真）は佐賀の製薬会社の御曹司で父親の会社の力で入手困難のビートルズのチケットを容易に手に入れる。だが、それをみね子に渡さないのだ。みね子が一生懸命応募したのに手に入らなかったものを簡単に手に入れてしまったことを恥じ、渡すことは「なんかできなくて。やりきれなくて」と葛藤する。それは以前、みね子が「私はかわいそうなんかじゃないって、そういうふうに見えるかもしれないけど違う」と言っていたことが印象に残っていたからだ。島谷はまた、自分のこの選択を「（自分自身も）単に恵まれてるとか思われたくなかったのかな」と解釈する。

ビートルズのチケットを他者から棚ぼたのようにもらっても幸福とは限らない。みね子と島谷はコンサートに行かない代わりに、互いの信頼を深め交際することになる。ここまでの話を3週間、18回×15分＝4時間半だから、ビートルズの来日を巡って身分違いの男女の恋が成就する。これだけで一編の独立した物語のような充実感があった。

とてもすてきな話をみね子と共有した島谷だがみね子と結ばれることはない。お別れしたあと、みね子は洋食屋すずふり亭で働き続ける。おりしも時代はウーマンリブ、女性も男性と平等に活躍するのだという機運が高まっているが、みね子はその波に乗るわけでもない。幼馴染の時子（佐久間由衣）がその波の先端に立ってコンテストに参加して俳優になるチャンスを獲得する。

いつだってみね子は時代の主流にはいない。東京で最初に働いたラジオ工場が不景気で閉鎖になったときも勇気を奮って立てこもり思いを吐露するのは、同僚の豊子（藤野涼子）で、みね子は傍観者である。物語のクライマックスは、みね子たちが「家族そろって歌自慢」という視聴者参加番組に出る。茨城の家族みんなで『涙くんさよなら』を合唱する感動場面ではあるものの、優勝したのかしないのかその結果は描かれない。

最終回、みね子は洋食屋の同僚・ヒデ（磯村勇斗）と結婚することになり、そこで宗男が「勝ったんだよ、勝ったんだ　たった今、悲しい出来事に幸せな出会いが勝ったんだよ最高だよ」「どうだあ、人間は強えぞ」と喜びを高らかに叫ぶ。悲しい出来事をことさら悲しいと描かずにそれまで来て、最後の最後で自分たちは悲しかったのだと吐露し、でもそれに勝ったと宣言する。

悲しい出来事が通り過ぎたアフターを描くことは、悲しい出来事はいつか必ず終わるのだという願いでもあるだろう。だが、それを物語る人物は宗男であり、みね子ではない。

みね子は、朝ドラ絶対王者『おしん』のように貧しい農家からの出稼ぎや大地震や戦争など不幸から這い上がって大手スーパーチェーン店を経営するようになることもないし、実在のデザイナーの母親をモデルにした『カーネーション』や関西の実業家をモデルにした『あさが来た』のように歴史に残る大仕事をすることもない。有名漫画家の妻の物語『ゲゲゲの女房』のような夫が大人物ということもない。朝ドラ新時代を作ったとされる『あまちゃん』のようにアイドルや海女などの個性的な仕事をすることもないし、震災という未曾有の出来事を経験することもなかった。

父親（沢村一樹）が行方不明になって、ようやく見つかったら、人気女優（菅野美穂）の世話になっていて、その仲はただならないものがあるというような出来事はやはり深刻である。

だが父の行方不明問題は主流ではなく、みね子は東京で友情や恋を育んでいく。問題を抱えていても毎日お腹はすくし、家族や友人たち、ラジオ工場や洋食屋の同僚や幼馴染や同じアパートの住人たちととめどもないおしゃべりを繰り返すものなのだ。お互いの問題をえぐることなく穏やかに笑顔で語り合い気遣い合う。この感じは2010年代以降の若者たちの生き方と重なるようであった。平成の終わりから令和にかけて、人々は女性同士の繋がりを大事にすること（「シスターフッド」と言われることもあるが解釈は様々）や男性らしさを決めつけないこと、そして、互いの違いによって対立しないこと、多様性を尊重することを大切にするようになった。それまでのドラマは、女性同士のマウントの取り合いやライバル関係や、男女をはじめとして異なる価値観を対立させることで物語の起伏を作っていた。それらの手を『ひよっこ』はことごとく排除していた。それもそっと穏やかな手つきで。

誰もが自分のものさしで幸福をはかればいい。他人のものさしはいらない。『ひよっこ』以降、時代は確実にそういう空気になっていった。

岡田惠和へのインタビューを読み返して

今回、筆者にとって2度目の朝ドラ本を書くにあたって、『ひよっこ』の最終回に合わせた岡田惠和へのインタビューを読み返した。そこに『ひよっこ』の意義が網羅されているので全文掲載することにした。

『ひよっこ』が最終回を迎えてからさほど時間が経っていない、物語の熱が冷めていないうちに取材をしたことによって、かなり漏らさず取材ができたと思っている。このようなインタビューができたわけは、岡田の脱稿が少し遅れたためNHKがマスコミを集めて行う作家インタビューができなかったからだった。代わりにネット媒体の特性である取材してすぐに掲載できることを生かし、最終回直後にインタビューして掲載した。そういう企画ができたのは、『みんなの朝ドラ』に岡田のインタビューを掲載した縁だった。このインタビューは『ひよっこ』の放送がはじまる前に、朝ドラを2回書いていた岡田に朝ドラにはフォーマットがあるか聞いてみようと思ったからだった。『みんなの朝ドラ』のインタビューはやや俯瞰して朝ドラを語ってもらっているのでそちらも合わせてご覧いただくと、朝ドラについてより深く知ることができると思う。

連続ドラマも全話通しての裏話を聞くことはなかなかできないもので、よほど大ヒットした作品のムック本が出たときでないと難しい。だがネット媒体の存在意義が認められるようになってきて、その掲載の速度、分量制限のないこと、拡散できることなどを買われて、たまにこういうことができるようになった。最終回直後のロングインタビューは『ひよっこ』ロス中のファンに喜んでもらうことができてよかったと思う。

『ひよっこ』のインタビューを読み返すと、その後の朝ドラに大きな影響を与えていると改めて感じる。前述した、目立たない大きなことを成し遂げない主人公の日常であることをはじめとして、登場人物の状況を比較で描かいないこと、そして、ややミステリー仕立て（父の行方探し）と伏線回収（父がすずふり亭に預けたお重）と令和のドラマに好まれる要素が満載なのである。お重の話はインタビューに詳しいが、伏線の理想的な使い方で、前半に出てきたアイテムを終盤で驚くべき形で回収している。伏線であることを観る者が気づかないくらいのささやかなものがいいわけで、誰もがこれを伏線と思った台無しなのである。お重についてはＳＮＳであればどうなったと話題にもなっていたが、それほど重大なアイテムではないし、その重大じゃないところもまたいい感じに効果的だった。

岡田朝ドラは聖地ツーリズムも盛り上げた。『ちゅらさん』は沖縄ブームのきっかけを作ったとも言われている。時代を後追いするのではなく先を読む感性が優れているのではないだろうか。流行ったものを後から追う二匹目のどじょうは成功することもあるが、物作りをするならやはりこれからの時代の流れを読むことがおもしろいのではないかと思う。ただ岡田は好きなことを書いているだけで時代の先端を行こうとしているわけではないと言いそうだけれど。

インタビューを読み返して最もドキリとしたことは、〝有事には、テレビドラマは飛ぶのだってことは、理屈ではわかっていますが、堪えますね。〟という言葉。9・11のときに『ちゅらさん』、3・11のときに『おひさま』、2017年、北朝鮮からミサイルが発射されたときに『ひよっこ』が放送されていた。有事になるとドラマはニュースに変わる。それがもっと深刻な事態になったのが、2020年以降のコロナ禍である。『エール』はコロナ禍による緊急事態宣言で撮影が中断し、2カ月ほど放送が止まった。朝ドラ史上、未曾有の出来事については『エール』の項に譲りたい。

岡田惠和インタビュー

インタビューに入る前の雑談で、岡田惠和の行きつけのコンビニで働くイラン人の方が、『ひよっこ』の実（沢村一樹）のような出稼ぎ労働者で、『ひよっこ』に自分を重ねて観ていると、家族写真を見せてくれたという話を聞いた。日本では昭和は遠くなりにけりだが、世界には日本の昭和のような暮らしをしているところがまだまだあるようだ。なんてことを思いながら、インタビューをはじめます。

視聴率がこんなに話題になるなんて

——半年間、おつかれさまでした。今日の回（記憶を失った実が妻・美代子〈木村佳乃〉に「美代子のことが好きだ。一緒に生きていってくれっか。美代子と一緒に生きていきてえんだ」と言う１４６回）は、いい話でした。

岡田：今日の回は好きな回でした。いや、嫌いな回があるわけではありませんが。

――それでもやっぱり、ご自身の中で、これ！という回がありますか。

岡田：なんていうのかな、やっぱり局面のある回はどうしても強いですよね。

――何も起こらないことが『ひよっこ』の面白みでしたが、たしかに、ああいう軸があるものが強いと思わされました。

岡田：そうですよね。ただそればっかりでもなあっていうのもあるし。難しいですね。

――岡田さんは、どのインタビューを読んでも、『ひよっこ』は非常に大変だったとおっしゃっています。

岡田：『ひよっこ』で一番感じたことは、こんなに毎朝視聴率、視聴率って言われるようになったのだという驚きでした。２００１年『ちゅらさん』、２０１１年『おひさま』、２０１７年『ひよっこ』とやってきて、『ちゅらさん』のときも『おひさま』のときも、大きなものを任されている意識はあったけれど、結果（視聴率）に対するプレッシャーはあまりなかったです。実際は、あったかもしれないけれど、僕は感じていなくて（笑）。『ちゅらさん』では確か、初回が過去作のワースト2か3くらいではじまったので、やってしまったという感じはあったとはいえ、毎日の視聴率は知らされず、1週間の平均を教えてもらう程度でしたし、現場やプロデューサーと、視聴率が上がった、下がったという話をした記憶はあまりなくて。それは『おひさま』でもそうでした。

——『ちゅらさん』も初回は視聴率が低かったんですね。

岡田：とはいえ、初回は、前回の最終回から1、2％低いところからはじまると言われていたんですよ。それは、土曜日に終わると、すぐ翌月曜から新作がはじまるという、民放の連ドラのように前作と次回作との間に空白がない分、多少、視聴疲れっていうものがあるからだと。でも、内容が良ければ、だんだん観てくれるようになるよと言われていました。『おひさま』は、3・11東日本大震災の直後の4月はじまりだったので、視聴率のいいも悪いもない、そもそも放送できるの？という雰囲気でした。ところが、『ひよっこ』の序盤に「大台（20％）届かず」という記事がたくさん出て。朝ドラの世間的な注目度や立ち位置が、ずいぶん変わってきていることを感じました。そんなにハードルが上がっているんだとびっくりしたし、正直、気持ちが落ちました（笑）。

――そんなふうに思っていたんですね。

岡田：だからって、4月にはじまったときにはもうはるか先を書いていましたし、どうこうできないんですけど。それに、19・1％と20・1％って、誤差もあって、実はそれほど変わらないんですよ。だからこそ、あと1％上がれば、関わっているみんなの気持ちが楽になるのになあとは思いました。

――1％上げるために、後半の内容を変えたのですか？

岡田：変えてないです。結果に、みんなが納得してない感じがあったのと、下がっていく感じはなかったので。あくまで感覚でしかないんですけどね。

――信じて耐えた感じ？

岡田：そうですね（笑）。お話がスロースタートであるのは、この作品には必要な丁寧さだと思っていたから、そこは変えずに、結果は出てほしいと願っていました。最初のプロットからして、波乱万丈ではなく、ゆっくりした物語で、このところの朝ドラのリズムとは違うかもしれないけれど、徐々に浸透して欲しいとは思っていました。

ヒーローもの出身の俳優たちの底力

――結果的に後半、20%を超えて、判断が正しかったことが証明されたわけですが、スローで丁寧っていうのは、岡田さんが得意なジャンル。みんなで集まって15分、しゃべっているようなドラマは、世の中のニーズと合致する確信はありましたか?

岡田:視聴率的に、今回、序盤、それほど思うような結果が出なかったときに、理由をいろんな人が分析して、朝ドラとは本来こういうものであって、『ひよっこ』にはこれが足りないという指摘を受けまして。そんなにみんなの中で、朝ドラとはこういうものだ、という認識があることにも驚きました(笑)。

――この数年、朝ドラを語るブームが起きていますからね(笑)。

岡田：もう少し前に、『ちりとてちん』（２００７年度後期）があって、『カーネーション』（２０１１年度後期）、『あまちゃん』（２０１３年度前期）と来たとき、次はどうする？っていう、作品の多様性を歓迎する空気がもう少しあったような気がしますが。例えば、最近は、ヒロインは誰と結婚するのかとか、スピンオフはあるのかとか、取材で必ずそういう質問をされます。スピンオフだって、僕は過去2作やっていないのですが、いつの間にか、漏れなく本編に付いてくるもののように、いまでは思われているんですね（笑）。

――相手役については、『ひよっこ』では、最初に綿引（竜星涼）が出てきてヒロインに親身になってくれて、その後、島谷（竹内涼真）が本命のようにキラキラと出てきたものの、結果、ヒデ（磯村勇斗）だったという、最後まで展開がわからないようになっていましたが、それは決めていたんですね。

岡田：決めていました。でも、プロデューサーと相談して、「僕らもまだわかりません」と答えるようにしていましたし、当の磯村くんにも言わないでいました。自分が最終的にヒロインの夫になるとは、まったく思ってない顔をしていてほしかったので。でも、みね子のお父ちゃん・実が最初にすずふり亭に来たときから、ヒデは立ち会っていて、それからずっとすべてを観ているんです。そんな彼の目線を大事に撮ってもらうようにしていました。

——竹内さんには、島谷は本命ではないと言ってあったのですか？

岡田：最初から明示してたかどうかはわからないです。でも、みね子と恋人になったときには、この恋は辛い結末になることはわかっていたと思います。

——今回、竜星、竹内、磯村と、３人とも加えますか？ 仮面ライダーや戦隊ヒーロードラマ出身者でしたが、それは意識されていますか？

岡田：ヒーローを起用したから観てくれるだろうという意識はないですが、彼らは一度、熾烈なオーディションをかいくぐって、大きな役を担ってきた分、力があるのは感じます。今回、みね子役の有村架純さん以外の若者たちは全員オーディションで決めていて、当然彼らも横一線で、オーディションに参加してくれていたのですが、勝ち抜き能力がすごいと感じましたよ。

役者を大事にしたくて、時間が進められなかった

——当初、64年から74年くらいまでの10年間くらいを描く予定だったということで、本当はヒデとの夫婦生活も描かれる予定だったのですか？

岡田：はい、荻窪あたりで小さな洋食屋を営んでいる話を描きたかったですね。あの頃ちょうど、中央線沿線の郊外に人が増えて、街が出来上がっていった時期なのですよ。

——それはパート２で書くみたいな。

岡田：ぜひ、やりたいですね。

——続編を見据えた上での、後半の展開ですか？

岡田：いや、冒頭何週間分か書いたところで、10年の話は撤回しました。やろうと思えば、途中、2年経ちましたって書けばいいので、10年分書けるといえば書けますが、そこを取りこぼしていく話じゃないなあって思い直しました。それと、奥茨城編を書いているときに、子役ふたり（宮原和、髙橋來）を変えたくないという気持ちになって。「あれから2年」となって、みね子が家に帰ると、知らない女の子と男の子がいるっていうのが、忍びなくて。ドラマでは普通のことなんだろうけど、なんか良くてね、あの二人が。

——おかげで、ゆったりした時間が流れて、視聴者はいつの間にか、その心地よいリズムに慣れていって、終わらないで！と思うようになりました。

岡田：ありがとうございます。クライマックス感がないのに、どうやって終わるのかって、みんな気にしてくださいましたね。4年間という短い年月の物語にした時点で、重箱と1万円の伏線回収は、最終週にやれたらいいかなと思っていました。

――重箱は出てくるだろうと誰もが想像していたものの、こんなにさりげないんだって、予想の斜め上を行く展開でした。

岡田：物語を求めている人にとって、話がちっとも進んでないって気持ちがするのもわかりますが、僕自身は、そういうときが好きだったりするので。それはどうしようもない性なんですよね（笑）。

――作家の個性はあっていいと思います。

岡田：ですよね。丁寧に描きたいと思う役者さんだらけだったということもあります。

――ヤスハル（古舘佑太郎）があんなに美味しい役割になるとは驚きました。

岡田：不憫でかわいいっていうのを目指してみました（笑）。

――それにしても、世津子（菅野美穂）救出作戦に尽力したのに、あそこまで労われないなんて……。

岡田：あれは台本ではもうちょっとあったんですよ。「ヤスハル大丈夫かな」っていうのが。でも、カットされてしまい、結果的にそれで美味しくなったという（笑）。

――ミュージシャンとしての古舘さんを巧く使っていたのも良かったです。宗男役の峯田和伸さんといい、『ちゅらさん』の鮎川誠さんにしても、ミュージシャンがよく出てきます。

岡田：ミュージシャンを出すのは好きですね。でも、ミュージシャンだったら誰でもいいわけではないです。まずその人の音楽が好きなこと。あとなんとなく勘でやりすぎない人を選んでいますね。品があるっていうか。ミュージシャンにかぎらず、お笑いのやついいちろう（元治役）君にしてもね。ここで笑わせてやろうと思っている人だと、それは役じゃないから……と観ていて気持ちが引いてしまうので、そうじゃない人たちに出ていただいていますね。

――なし崩しに婿養子に取り込まれていくという、なんとも言えない状況をあんなに面白くするのは、才能ですよね。三男（泉澤祐希）が婿養子で、柏木堂と福翠楼とふたつの家が養子をもらっていて、養子だらけなのですが、あの頃はそうでしたか？

岡田：もちろん、みんながみんなそうではないですが、ある種、そんなにすごいことではなくありましたね。僕の子供の頃、近所の子供もいない夫婦が親戚の子をもらってくるみたいなことがありました。今、ドラマでそれをやると、ものすごく悲惨な別れを経て来る感じですが、当時の映画を観ると、わりとあっさり送り出すシーンがあるんですよ。

――今だと、遊川和彦さんが、シビアに書いていますが（『はじめまして、愛しています。』２０１６年、テレビ朝日系）、岡田さんの手にかかるとこんなにあっさり何組も養子が（笑）。

岡田：そうそう、ワンクールかけて書く話ですよね（笑）。もちろん、もらわれてきたことの切なさがあっただろうけれど、社会がそれをそんなに珍しいことと思ってなかったから、婿養子も含め、そんなに悲惨な選択ではなかったと僕は考えます。

若手はほとんどオーディションで、そこから当て書き

――みね子以外の若い俳優はオーディションなんですね。

岡田：そうなんです。若い人は全部オーディションでやるって決めて、脚本が全然進んでない段階で、選びました。早く決めないと人気者が他のドラマにとられてしまうっていうのもありまして。僕は、この役をやる人を選ぶのではなく、この人いいなって思う人を選んで、劇団みたいに、そこからその人に合う役を考えたかったんです。それこそ、伊藤沙莉さんも米屋の娘として選んだのではなく、彼女を使って、さおりという役を描きたいと思いました。ぱるる（島崎遥香）もそうでした。彼女を使うために新しい役ができた、みたいな記事が出てしまって、誤解を招いたと思いますが、彼女だけでなく、今回ほとんどの役が、オーディションの後でその人に当て書きしたものです。

――では、乙女寮の女の子も、4人選ぶと決めていたわけじゃないんですか？

岡田：その時点で、最初から役が固定されてたのは、時子（佐久間由衣）と三男で、乙女寮に関しては、いい子がいたら、それだけ出すと。5人いたら、みね子と時子にプラスで7人部屋と思

っていて、4人起用したので、6人部屋になりました。もしかしたら、伊藤沙莉さんが乙女たちの誰かになって、乙女たちの誰かがさおりになっていたかもしれません。

ナンバーワンやオンリーワンでなくてもいいじゃないか

――岡田さんは、『ひよっこ』を書くに当たり、高度成長期の光と影を書きたいとおっしゃっていました。そのせいか、『ひよっこ』に描かれる優しさや穏やかさを素直に受け止める人と、それを負と考えたり、その裏を読もうとしたりする人と、極端に分かれた印象があります。それについてはどう思いますか。

岡田：当時、生きていた人の感覚からこんな感じじゃなかったっていうのもあるかもしれませんが、流れている空気は、こういうものだったのではないかと僕は思って書きました。例えば、ヒロインの描き方に関して言うと、朝ドラでは、ふつうの女の子が後にひとかどの者になることが定番ですが、それは、言い方を変えると極めて特殊な人ですよね。そういう人はクラスのうち一人か二人しかいないわけで。それを、ドラマだから、朝ドラだからという理由で、主人公は夢のある人というふうに決めるのも、ずいぶん強引な話だなって思うんです。高度成長期だからと言って、全員が上を目指していたわけじゃないし、目指さなきゃいけないわけでもないし、夢をもたないなんて何もない人生だ、みたいなアイデンティティの捉え方ではなかったと思います。ナンバーワンもオンリーワンもとくに求められてなかったと思うんですよ。そういう考え方が、いま、生きている子たちの枷になっている気がするんです。

――ナンバーワンでもオンリーワンでもないのがみね子ですね。

岡田：一番になるとか、変わった人になるとかってことを、そんなに重いプレッシャーに感じることはないし、ふつうに生きているってことは、そんなに恥ずかしいことじゃなかったのではないかと思うんですよ。「何もない」と思われるみね子が、大志をもって生きている人と比べて、そんなにマイナスな存在ではなく、「ふつう」だよと思って書き続けました。

――ごくふつうなものを書くことは難しいことですね。

岡田：そうですね、そこはトライだと思うけれど、やっぱり、それは、有村架純って俳優の何かとシンクロしているような気がしていたかなあ。

――彼女はぱっと見ハデで目立ちそうですが、意外と世界に溶け込む人ですよね。

岡田：不思議なトーンがありますよね。ぱあっと周囲を明るくもできるけど、きゃぴきゃぴしたところのない、わりとじっと考えている人って気がしますね。それがみね子に合っていた気がしますし、一見何もないからって何も考えてないわけではないみね子らしさを表現してくれました。今回、みね子の対比として、女優を目指して、最終的に夢を叶える時子がいますが、友人が成功していく傍らで、みね子が挫折感を持つ必要はないと思って書きました。そういう、誰かと比べて幸か不幸かみたいな描写は書かないようにしました。

ビートルズの楽曲を使えないからこそ生まれた熱

――ドラマにありがちな価値観の対立がほとんどないですよね。波風が立たないように生きようと誰もが気を使っている。特にみね子がそうでした。でも、裏ではいろいろ悪意ではない範囲で、考えている。そこで、思ったのは、岡田さんはみね子みたいな人じゃないかって（笑）。

岡田：争いごとを嫌うのはありますね（笑）。

――と思ったのは、昔のエッセイ集『ドラマを書く　すべてのドラマはシナリオから始まる……』（ダイヤモンド社、1999年）で、文章に（　）がすごく使われていたからなんです。

岡田：こうは言っても、実はこうっていうふうな書き方ですよね。そういうところありますね（笑）。

――岡田さんは、いつもこちらの質問に「そうです」って言って乗っかりながら、話を膨らませてくれる人ですよね。

岡田：その場だけなんだけどね（笑）。

――だから、今回のインタビューでは、私が引っ掛かった部分や、私の解釈はできるだけ言わないようにしたいと思っていたんですよ（笑）。岡田さんの話したいことを話してほしいと思って（笑）。

岡田：そういう意味でいえば、僕は、ふつうはあまり描かれない人を描きたいと思う気持ちが強いです。時代でいうと、年表に書かれない人、を書きたい。ある出来事に日本中が熱狂っていうことが年表に書かれているとき、そんなわけないって思うわけですよ。例えば、ビートルズが来日して、日本の若者が熱狂したと、新聞や雑誌には書いてあるけれど、『ひよっこ』では、ビートルズを知っているのは、宗男とヤスハルと早苗（シシド・カフカ）くらい。実際、そういうものなんじゃないかなと僕は思っていました。集団就職も、歴史上に残っているのは、青森や秋田、山形から蒸気機関車に乗ってくる中卒の子のことを、〝金の卵〟と呼んで、マスコミが大々的に取り上げていたので、最初『ひよっこ』で、茨城から集団就職で東京に出てくるという設定は、そういう子たちがいたのか？と疑問も出ました。でも、茨城からもそれなりにいたし、高卒も何割もいたんです。でも、そういうことは公にはあまり語られない。だからこそ、そういう人を主人公にしたかったという気持ちはありました。

——音楽好きの岡田さんは、あの時代の、ビートルズ来日の熱狂を書きたかったのかと思っていました。

岡田：ビートルズは書きたかったけれど、みんなが熱狂していたわけではないことを書きたかったんです。その時代を過ごした方の音楽系の評論を読むと、ビートルズを知っている人はクラスにひとりふたりで、あとは普通に歌謡曲などを聞いていたようですよ。東京はカルチャーに敏感な子が多かったでしょうけれど、地方はそうでもない。そういうことをリアルに描きたいと思っていたし、実際、ビートルズが赤坂のヒルトンホテルに泊まっていたとき、街の人が、なんだ？と思ったり、繁盛してラッキーと思っていたり、その程度のものだったという感じは書きたかったことです。

――ビートルズの話が書きたくて、東京編の舞台が赤坂になったと、菓子浩プロデューサーから聞きました。

岡田：前々から、ビートルズがいた数日間だけの東京の話の企画を温めていたんです。彼らが好きと限らない人たちのことを、グランドホテル形式で描きたいと。例えば、ホテルで「君はビートルズ担当」って言われたなんの興味もないおじさんとか、警備員で雇われたが、ずっとコンサート中、演奏から背中を向けていた男の子とかをね。ビートルズの版権許諾が大変なのでなかなか実現しないでいたところ、高度成長期を舞台にして『ひよっこ』を描くことになったので、そこにこの企画を合体できないかと提案しました。オリンピックがはじまった2年後にビートルズは来日するので、ちょうどいいと考えたことは確かです。

――あのエピソードは熱がありました、峯田さんの熱演もあって。

岡田：わりと早い段階で、楽曲が使えないことがはっきりしたときには、一瞬、ふらっとしました（笑）が、逆に覚悟が決められたというか、使わないほうがいいんじゃないかと思い始めて。つまり、例えば、宗男がビートルズについて語るときに、曲をかけちゃったら、楽曲の強さにドラマは敵わなくなる。むしろ、かけないほうが面白いと思い始めました。歌詞もそのままは使えないんです。著作権が発生するんで。島谷くんが「イエスタデイ」の話をするとき、こんな感じの意味ですと意訳しているのもそのためです（笑）。当然、楽曲も使えなくて。でも、「ハード・デイズ・ナイト」の出だしの一音だけは、ヤスハルに弾いてもらいました。そこだけ唯一の抵抗です。ほとんどの方がある程度、曲を知っているから、脳内で流してくださったようで助かりました（笑）。映像も報道映像だけは使えるので、それを集めていただいて。しかも声は出さない。声にも権利がありますから。そういうとき、暴力的な創作エネルギーが出たし、さらに、峯田くんという頼りになる存在によって、結果的にかけないほうがよかったです。

――そこが新しい試みでしたね。

岡田：日本人の特性と思いますが、そういう不自由さが、逆に、プラスを産むってことがやっぱりありますよね。これが、ビートルズかけ放題だったら、それに頼りすぎてしまったと思うんですよ。それもすごく面白い体験でしたね。

――そこで、視聴率が、安定して20％台が続くようになりました。

岡田：熱量が伝わったんですかね（笑）。実を言うと、そこまで、時制的にかなり強引なんですよ。

東京オリンピックで日本中が熱狂している中、ヒロインがテレビを見ていて、そのとき、お父ちゃんがいなくなっているっていうことにしようと、まず決めたものの、それは史実として64年の10月で、ずらせない。そこからビートルズが来るまでに間がないんです（笑）。家族で最後に稲刈りをするのが8月から9月に近い時期で、その幸せな時間から、オリンピックがはじまる前にお父ちゃんがいなくなるのは、リアルに考えると、とても短いんですよ。何ヶ月も探したけどみつからないということにならないんです（笑）。

――そこは駆け足だった（笑）。

岡田：さらに、その翌年、みね子が卒業して就職しますが、その翌年にビートルズが来るので、その時点で赤坂にみね子がいるために、向島電機が、みね子が入ってすぐ倒産することになってしまった。乙女たちの友情があんなに盛り上がっていたけれど、8ヶ月くらいしか一緒に過ごしていないんです。

――ビートルズ合わせで、駆け足に（笑）。意外とそこはツッコまれていませんよね。

岡田：そこから急にペースチェンジして、1、2年と月日が一気に進むふうにはできなくなってしまったというのはありますね。ドラマの半分過ぎたところで2年くらいしか経ってないのに、ここから一気に7年経過させるのは無理だろうと。

——その縛りもいいことに転化したのではないでしょうか。岡田さんのビートルズ来日ドラマへの思いが功を奏した。

岡田：にもかかわらず、ヒロインはビートルズに全然興味がないっていう（笑）。あれだけのことがあっても、その後もさほど興味をもってないんですよね。宗男の奥さん（山崎静代）も最後まで興味なさそうだったしね（笑）。

あえて、いま、「記憶喪失」を描いたわけ

——宗男の奥さんの、手作りTシャツのエピソード良かったです。

岡田：あれを思いついたときは、祝杯を上げましたね。ちょっといいなって（笑）。奥さんが東京に行くのは決めていたので、どういうふうに宗男と溶け合う瞬間を描こうかと思いながら、当時の資料を観ていたら、物販がないので、みんな手作りで、Tシャツに手書きしていたりして。

そこから思いつきました。

――後のミニスカートブームで、愛子（和久井映見）が一生懸命、手持ちのスカートの丈を短くしているという、一歩変わっていく感じがいいですね。

岡田：あの頃の自分の感覚とか、自分の母のことを思っても、まずは、自分で工夫して、それがかなわないものは、買う時代だった気がします。とくに女の人は。

――岡田さんは、この時代、進（高橋來）くらいの年齢ですか？

岡田：そうですね。

――進に感情移入します？

岡田：進は田舎の子で、僕は生まれも育ちも東京だったから、少し違いますね。三鷹なので、赤坂ほど都会ではないけれど、ざわざわした街の空気を覚えています。

――お父さんが、演劇の音楽を作られていたそうですね。

岡田：うちの父と母は、幸子（小島藤子）と雄大先生（井之脇海）みたいな関係で。母が新宿三越で働いていて、そこに父が音楽を教えに来て出会ったらしいです。

――雄大のモデルはお父さんということですか？

岡田：雄大くんのキャラクターとは違いますけどね、ただあの頃雄大くんの社会主義ロマンみたいな発言はわりと当時の青年像としては当たり前なんだけど、今は、ロシア革命の話をしようものなら、左翼の急先鋒みたいに捉えられてしまいますね。山田洋次さんの初期の映画にはああいう人いっぱいいるんですけれどね（笑）。ただ、ひとつ、心残りは、正義と雄大の友情の続きが書けなかったことです。パート2があったら描きたいですね。

――お金を返す話を書いてほしいです。岡田さんのパーソナルな部分も少し入っているドラマなのですね。

岡田：もし、明治時代の話を書いていたら〝自分〟を遮断すると思うんですよ。その時代に生きてないから、わかりっこないから。60年代は、かすかに記憶あるから、なんとなく自分が出てくる感じは今回ありました。それで言うと、「記憶喪失」というモチーフをやったじゃないですか。その理由はふたつあって。ひとつには、ここ近年、自分の中のサブテーマとして、ベタなモチーフを、自分なりに角度を変えて面白く書き換えることをやってみたいと思っていて。たとえば、『スターマン・この星の恋』(2013年、フジテレビ系)だと〝宇宙人との接近遭遇〟、『さよなら私』(2014年、NHK)では〝入れ替わり〟。そして、『ひよっこ』では〝記憶喪失〟です。韓流ドラマで用いられたことが印象に強いですが、過去には映画『ひまわり』とか『かくも長き不在』とか『心の旅路』などの名作があって。それは、なんらかの人の心を揺さぶる出来事だからじゃないですか。それをもうやり尽くしたみたいに思いたくないっていうのがありました。

——あえてやっていたのですね。

岡田：当然、過去作と比較されていろいろ言われるアウェー感満載でしたが(笑)。そこは、やりたいなって思っているんですよ。あとは、〝タイムスリップもの〟が残っているんですけどね(笑)。

――もうひとつの理由は?

岡田:昔、警備のバイトをしていたことがあって、『男たちの旅路』(1976~1982年、NHK)のように、年配の人とコンビを組みました(笑)。二人きりなので、2日間くらいで話すことなくなってうんざりするのですが(笑)、その人が記憶喪失になった話をしてくれたんですよ。ちょっと話を作っているところもあったと思うけれど、その人は南方に戦争に行ったときに、大きな怪我をして記憶を失くしたそうなんです。ただ、兵士なので名前や住所などの手がかりはあるから、それを頼りに終戦になって田舎に帰ると、待っていたのがけっこうかわいい奥さんだったっていう話を、何度も何度も聞かされて(笑)。でも、病院で目が覚める前の記憶は、その後もなにも思い出せないそうです。

――実のようにカラダは覚えていることがあるのか、それとも、全く違う人格になってしまうんですか?

岡田:いろいろらしいです。どこを無意識に消してしまいたいかってことによるらしいんですね。いやなことがあったときに、瞬間的に忘れたいと思うじゃないですか。それの究極の形が記憶喪失だそうです。実さんは、自分が置かれた状況に耐えきれなくて、リセットしてしまったと考えて書きました。

――プロデューサーのコメントでも、戦後はそういう人がいたみたいなことをどこかの媒体でコメント出していましたよね。

岡田：記憶喪失の扱いは、NHKとは話し合って、実際にあることだから、ドラマの都合で、ドラマチックに、全部思い出したみたいに描くことはやめようということになりました。実際にそういう悩みを抱えていらっしゃる方を傷つけてはいけないし、学術的に間違ったことを描いてもいけないので、いろいろ調べました。とはいえ、記憶喪失ものをドラマでやると、いつ思い出すのかが話の中心になりますが、僕は全然、そういう話にするつもりがなくて、人間がある種ゼロになったとき、そこからどうするのかって話をやるつもりだったんです。

――戦争でゼロになったことや、恋に敗れることや、『ひよっこ』の登場人物はみんな、一回ゼロになったところからもう一度はじめていきますね。記憶が戻る話を描きたいわけではないからこそ、最後のお重のくだりが、劇的ではなく、さりげないんですね。

岡田：そのために準備されていたかのようなお重ではありますが、あれを鈴子が預かるのは、宮本信子さんのアイデアです。美代子が来たときに返す予定だったのが、宮本さんから、これは預かったほうがいいんじゃないかって提案というか感想があって。お預かりするのは希望をつなぐシーンとしてもいいシーンになるので、その提案をいただきながら、回収の仕方を考えました。宮本さんの直感みたいなものが、ドラマに深みを与えてくれましたね。お重を預かっていいですかと鈴子さんが美代子さんに言うシーンもそこから生まれたシーンです。

なぜ、節子がふたりいるのか

——岡田さんのラジオ番組にゲストで出られた宮本さんが、すずふり亭のお客さんひとりひとりに設定を考えていたという話をされていましたが、岡田さんがささやかな日常を描かれるのと同じく、俳優の方々もささやかな部分を大事にされているんですね。話は変わりますが、世津子の本名の節子と、省吾（佐々木蔵之介）の奥さんの節子と同じ名前が出てくるのはなぜなんでしょうか？　省吾の相手役を愛子（和久井映見）か？　世津子か？　みたいなミスリードを狙ったのですか？

岡田：それはないです。世津子は芸名で、本名は節子で、省吾の妻と全く同じ名前であることから、彼女のアイデンティティが名前の文字を変えられることでどうなったのかっていうことを語るところがあったのですが、台本が長くてカットされて、名前の話は時子に集約されました。

――同じ名前を出すって、面白いトライですね。

岡田：そのほうがちょっと字を変えている感じのニュアンスが出るかなあと思って。今回、芸名に関して書いてみたかったんですよ。現代では、そんなふうに思わないのかもしれないけれど、当時、自分の子供が違う名前になるっていうのは、本名を否定されることだから、家族にとっては重大なことなんじゃないかなと思って。

――それも養子に行くことにも近いことではないですか。そういえば、世津子も叔父叔母のところに引き取られていますね。

岡田：そうですね。まあ、当時は、基本、芸名が多かったですからね。

――昔の芸能人ってかなり変わった芸名をつけていますよね。

岡田：本名を明かさないし、年齢詐称だってざらですよ。いまだったら、Twitterで同級生がつぶやいたら1秒でバレちゃう（笑）。

——昔は、いろいろな事情が隠せたんですよね。

岡田：グレーなことを飲み込むというか。世の中のある種曖昧なことを許容することは、世の中の余裕と関係があると思いますけれど、当時は、そういう空気があったと思います。例えば、実と節子が一線を越えたか否か問題になったとき、いまの空気だったら川本世津子はアウトでしょう。でも、あの頃は、芸能人に愛人がいることは、ある種の特権のような感じで、いまよりもグレーになっていたと思うんです。それが正しいのかどうかは別として。

——芸のためっていう考え方がありましたよね。富さん（白石加代子）のような人もふつうにいた。

岡田：富の恋愛の話は、批判の声が来るかと思いましたが、白石さんの存在感で、むしろ応援モードでした（笑）。鈴子さんが、若い人にちゃんと話せって言うのも、このドラマだから、宮本さんと白石さんだからできたと思いますね。

——全体的にほのぼのした中に、戦争もそうですが、養子だとか愛人だとか、さりげなく重い話が入ってきますね。

岡田：朝ドラで、昔の話を書くと、ほんとはそういうところがあるとはいえ、ヒロインが結婚した相手に二号さんがいるっていう話は、いまの時代、書きづらいですよね（笑）。でも、そういうところはかすかに書きたいというのがありました。

――白石さん、岡田さんが最近、ドラマにどんどん出されています。

岡田：元は河野（英裕）組（ドラマプロデューサー）ですから。『すいか』（2003年　日本テレビ系）から、河野さんが白石さんをテレビに引っ張り込んで、僕は『泣くな、はらちゃん』（2013年、日本テレビ系）ではじめてご一緒して、その後、NHKの『奇跡の人』（2016年）でも。今回、河野さんには仁義は切りました。白石加代子朝ドラ計画についてどう思いますか？と聞いたら、「朝の顔にしてやってください」というメッセージを頂いて。ひょっとしたら河野さんも『フランケンシュタインの恋』（2017年4月期の日本テレビ系のドラマ）に白石さんを出したかったかもしれないけれど……。光石研さんはどちらにも出ていましたね（笑）。

――話を、少々戻しますが、昼ドラの『やすらぎの郷』（2017年、テレビ朝日系）にも〝節子〟

という重要な人物がいました。

岡田：それはたぶん、あの時代にいた女性の名前として何かわかる気がするんですよ。

――原節子ですか？

岡田：原節子かはわからないけれど、なんか、節子さんってたぶん、いまの人と違って、どこかでヒロインの名前になりえる、いい印象なんだと思います。

――上品で……。

岡田：ちょっと悲しげで美しいっていう。例えば、〝リカ〟っていうと、活発な女性像を思い浮かべるようなものですよ（笑）。

――登場人物の名前によって、その時代がわかるかもしれませんね。

――話し辛い話題だと思うのですが、『ちゅらさん』は9・11、『おひさま』は3・11があって、『ひよっこ』では、北朝鮮からミサイルが飛んで、ドラマが2回も休止になりました。

岡田：最初に休止になったときは、きつかったですね。いつJアラートが鳴るかわからない状況で朝ドラは放送されているんだなと思いました。ただ、昼の放送の視聴率が倍くらいになって、朝を楽しみにしてくださっている人が、わざわざ昼に観てくれているんだってわかって嬉しかったです。朝より昼観るほうが大変じゃないですか。

――9・11は日本時間で夜だったから、翌朝は放送されたんですよね。

岡田：中止になるかもしれないって言われましたが、結局、前後はすべてニュースで『ちゅらさん』だけやっていて、でも、ずっとツインタワーの映像が画面の片隅に映っているっていう、こんな状況で、やって良いんでしょうか……?と思いました。『おひさま』のときは、震災の余震がまだあったので、大きな速報が画面に同時に3つ出て、井上真央ちゃんのカラダの一部しか映ってなくて。不謹慎とは思いながら、けっこう重要な回で、いい芝居していたのになあ……ってことがありました。

――テレビドラマは時代と共にあることを感じさせられます。

岡田：有事には、テレビドラマは飛ぶのだってことは、理屈ではわかっていますが、堪えますね。ドラマを作っている人間として、これが続くとドラマが作れなくなることがある、それはどうしようもないってことは思います。

――テレビドラマを見られることは幸せですね。岡田さんは、まだまだ朝ドラを書きたいそうですが。

岡田：脱稿して喉元過ぎているので、書きたいですね（笑）。朝ドラが書きたいっていうか、いま、朝ドラしかないからそう思うんですけど、たぶん、終わらない話が書きたいんですよ。

――サザエさん的な？

岡田：『渡る世間は鬼ばかり』的というほうが近いですね。作家が書けるうちは書けるっていうものが本当に羨ましい。自分が作りだした人物がずっと生きていられることは羨ましいです。『渡る世間』も、ある種、日常系のドラマじゃないですか。起こっている騒動は大きいけれど、ほぼスタジオ撮影で、店と家という限られた場所のみで話が展開していて。何年か前に、ロケに行くことになって、みんなの緊張感と遠足気分が相当だったらしいですよ（笑）。家族があって、子どもたちが成長して、また家族ができて……と家系図的に広がっていくなんて、すごくリアルな家族ドラマで、あんなことがやりたいと思うんですよ。

――実人生は、半年や1年で終わらないですものね。

岡田：『ひよっこ』も、本当だったら、最終週にいろんなことがどかどか片付いていかなくてもいいのだけれど、一旦終わりにしないといけないから、どこかフィナーレ感を作る必要がありました。観ていただいた方の、あれはどうなったんだろう?という疑問にはなるべく答えたいと思っていましたし。でも、先程話した、雄大と正義の友情をはじめとして、積み残したことがまだまだあって。由香（島崎遥香）の描かれなかった同棲相手のこととか、なんでヤスハルが片仮名なのかとか、三男の家にはふたりしか男がいないのに、なぜ三男なのかとかね。

――そういえば……。

岡田：それが語られるのは、高ちゃん（佐藤仁美）か米子か、どちらかに子供ができた時かと思っていたのですが、そこまでたどりつかなかったです。そういうのも含めて、どういう形かわからないですが、続編をやりたいと密かに暗躍中です（笑）。

――最近、そういう書ききれないことはスピンオフで書くみたいな流れがありますが。

岡田：スピンオフってここ数年の傾向ですよね（2007年度後期『ちりとてちん』が最初だった）。あれって、撮影中に、主役じゃないキャストで、同じスタジオを使って撮るシステムだから、まだ本編が手を離れていない作家本人が書けないことが多い。スピンオフ自体は書きたいネタはあるんですが、自分が書けないのはいやなんです（笑）。そっちが面白いと思われてもいやだしね（笑）。それは冗談ですが、作り手が、本編を書きながら、書ききれないことを、ここはスピンオフに回そうと思ったら何かが終わっていくような気がするんですよ。

――出し切ってほしいですね、本編で。

岡田：もちろんヒロインが中心のドラマであって、他の人たちのストーリーを全部書けるわけはないし、それこそ、朝ドラは後半になってくと撮影できる場所も限られてくるから、場面として描きたかったことはたくさんありました。例えば、乙女寮の子たちのそれぞれの居場所。澄子（松本穂香）の石鹸工場とかね。豊子（藤野涼子）の会社。幸子の団地生活とか。秋田の優子（八木優希）はやれたから嬉しかったけど。スタッフが頑張ってくれた。あの役は帰郷したあと出すのが難しいんですけど、どうしても出し続けたかったんです。

優秀なスタッフのおかげで

——澄子といえば、豊子がクイズ番組に出たときの最終問題が、澄子の苗字・青天目の読みっていうのは、素敵でした。

岡田：あれはよかったでしょう（笑）。実は、乙女寮にいる間に、豊子がクイズに出るって話を思いついて、そのときから、最後の問題は青天目のネタを使う予定でした。あのエピソードは、演出も本気でしたね。

——クイズの問題は、岡田さんが考えているのですか？

岡田：問題は書いてないんです。高学歴ＮＨＫスタッフの力がみごとに発揮された設問でしたね。優秀な彼らの調査力、再現力はありがたいです。

――島谷の研究論文のテーマは。

岡田：あれもお任せしました。僕は、そういう細かいところは、×××にして、スタッフのアイデアに任せるほうです。

――そういうところ、ほかにもありますか？

岡田：巷でいろいろ言われた、水着問題。僕は、海辺のシーンを書いてないんです。台本では、雨が降っていたけれど、夕方になって晴れてきたというところで終わっていました。そもそも、あの撮影は、2月頃で、水着で海に入るのは無理だったからこその海を諦めてのシーンだったんですよ。だが、演出家は時間を捻出し、夕方ほんとに1時間くらいで、あのシーンを撮ったのだと思います。たぶん、みなさんすごく寒かったと思いますよ。

――でも素敵なシーンになってましたよね。

岡田：ちなみに、澄子の水着は、バーゲンの一番安いやつでサイズが合ってないものと指定したら、紫のビキニになってました（笑）。富さんと恋人の回想シーンも、演出家が自由にやっています。そういうの結構好きなんです。あと、尺の問題で泣く泣くカットすることになってしまったことも結構あって、残念だったのは、小さい話ではあるんですけど、みね子から大量に歯磨き粉を買った、鈴子と省吾が、由香に送ることにするシーン。それから、実さんをあんな目に合わせた、ひったくり犯が、実が生きていたことを知って号泣するというエピソード。他にもあるけど、ま、台本が長いからいけないんですけどね。

――雨で田植えしていた場面は、雨指定じゃないですよね。

岡田：もちろん。

――あれは、実が雨男で、雨のシーンが続いて……と何かうまくつながって見えました。

田植えのシーンを撮影するために、田んぼを貸していただける日が限られていて。その日に、雨が降ってしまったんですね。ただ、あの天候がどこかまだ心が晴れるまでは行ってない、みね子達、谷田部家の心情とどこかマッチしていたように思いました。ただ撮影は過酷だったみたいです。

これからドラマはSNSとどうつきあっていくべきか

岡田：前回、取材してもらったとき、SNS文化になってから、僕にとってのはじめての朝ドラですね、と聞かれて（『みんなの朝ドラ』収録インタビュー）、それはそうだなと思ったんですね。だから、放送に対するリアクションは、大筋に生かすことは無理だけれど、みなさんが引っかかりそうな部分は、できる範囲でケアしていこうという意識はどこかにありました。そのほうがお互いにノンストレスだろうなと思って。

――『ひよっこ』がってことではないですが、最近は、ドラマや映画の宣伝の方やプロデューサーの方もSNSをチェックしている方が増えている気がします。

岡田：やっぱり目の前に生の声があれば気になりますからね。でも過渡期なんでしょうかね。作り手としたら、生の反応を見たら、視聴者がこういうことに反応するんだってことがわかるし、それをすぐにフィードバックすることはなくても、脳にはきっと体験として残っていくでしょうね。それをどう捉えるかですよね。ひたすら怒られないようにしようとするとしたら、なんのために創作をしているんだってことになるし、とはいえ、今後、そういう反応とつきあっていくことは必然で、どうつきあいながら、ドラマを作っていくかが課題になるでしょうね。

僕は、放送後だけじゃなくてオンエア中、怖いけど時々ＳＮＳを見るようにしました。観た瞬間の感想を知ることは、それまでなかったので新鮮でしたね。ここでカチンと来るんだとか、急に書き込みが停まる瞬間などがあることが面白かった。もちろん、１００％その瞬間の感情かはわかりませんよね。人に向けて書いているものだから。ずっと見ていると一日が終わっちゃうので、毎回見ていたわけではないし、アカウントももってないから交流もできませんが。でも、見ていて、何人かの方は、心の中で友達だなって思った人がいます（笑）。単に褒めてくれているからじゃなくて、この人たちのコメント、なんか好きだなあって思う人が。多分これからもドラマ書くときに、あの人気にいってくれるかなぁと思うんじゃないかな。そういうのって素敵な出会いだなと思いましたね。

（初出：『ひよっこ』ロスなあなたに。脚本家・岡田惠和氏に、あの疑問、この疑問を聞いちゃいました！」その1、その2、その3「otocoto」２０１７年9月30日、10月1日、２日）

第2章
『わろてんか』
繰り返された幽霊

2017年10月2日～2018年3月31日（全151回）
脚本：吉田智子／制作統括：後藤高久／プロデューサー：長谷知記／演出：本木一博、東山充裕、川野秀昭／主演：葵わかな
あらすじ：明治後期、京都の老舗薬問屋の長女・藤岡てんは、“げら（笑い上戸）”と呼ばれ、なんにでもよく笑う。ある日、それが災いして大事な商談を台無しにしてしまい、父から笑うことを禁じられる。そんな折、お祭りの寄席を見に行ったてんは、そこで笑いを愛する旅芸人の藤吉と出会う。やがて恋に落ちた二人は駆け落ち同然で大阪の藤吉の実家の米問屋に身を寄せるが、店の商売が傾いてしまう。その時、てんは笑いを商売にしようと、寄席の経営を藤吉に提案するのだった。

『わろてんか』のオリジナリティー　幽霊と劇中劇

ＳＮＳが発達したことの良い点といえば、批判も娯楽になったことだろう。ドラマを見て首をかしげるようなことがあったとき、以前は、自然と見なくなりそれで視聴率が低くなっていくこともあったであろう。あるいは、テレビ局に抗議や疑問の電話やお便りしたり、新聞などに投書したりしたものだが、たいていそれは一歩通行でしかなかった。それが２０１０年代以降、ＳＮＳで誰もが意見を自由に発するようになったため、褒め言葉のみならず、いかがなものかという意見に「いいね」がつきＲＴされて多数派の意見として力をつけるようになった。

視聴者が多く、ＳＮＳでつぶやくことが日常化した朝ドラではとりわけ様々な意見が飛び交う。なんでこうなるの？　的なツッコミをすることがおもしろいというドラマも何作かに一作は登場してくる。『わろてんか』もその一作であったように思う。

後藤高久ＣＰ（チーフプロデューサー）への取材で感じたこと

ドラマがはじまる前に、制作統括の後藤高久ＣＰに取材をしたとき、このようなことを聞いた。

「『わろてんか』で表現したいことは、〝家族の物語〟と〝ラブストーリー〟です。もちろん、たいていの朝ドラは、誰かと好きあって結婚して……というある種のラブストーリーになってはいますが、今回は、もう少し〝ラブ〟の要素を強くしたいと考えました。その点ではモデルになった方の人生とは違う、ほぼオリジナルのストーリーと言っても過言ではありません。例えば、生まれ故郷や家族構成、恋から結婚への流れも、ドラマオリジナルです。古き良き時代の朝ドラの定番だった家族ドラマに、ラブストーリーの要素を入れて、さらに笑いも盛り込んだ、といったところでしょうか」

今度の朝ドラでは吉本せいがモチーフになると聞いたとき、筆者は吉本興業の創業者の細うで繁盛期的なものかと思ったのだが、そうではなく、〝ラブコメ朝ドラ〟だと後藤ＣＰは言った。笑いに関しては「当初、僕らが会見などで笑い笑いと言い過ぎたことがあったのと、寄席を経営する主人公の物語というのもあって、「よっぽど笑わせてくれるんだ」と視聴者の方の期待値が高くなりすぎている気がして」などと話されるので、本格的な〝笑い〟で勝負するのではなく、笑いはスパイス的なものになりそうなのかなと感じた。

ダイジェスト感と幽霊のレギュラー化というオリジナリティー

笑いやお仕事ドラマの面がまず少なめだったのはいいとして、ラブ面である。吉本せいは夫を早くに亡くしたため夫の夢である寄席を経営していこうと奮闘した。ドラマでも夫が早く亡くなってしまうとしたらラブ面はどうなるのか……。恋愛軸が多くてもいいけれど、一応、モチーフになる実在の人物がいる場合、どんなふうに話が展開するのだろう?と興味深く見ていくと、夫（松坂桃李）はなかなか亡くならず、ドラマの中盤に亡くなってからは、なんと幽霊になって、週末・土曜日にお約束のように登場するようになった。

このアイデアには驚いた。幽霊と話す主人公。〝古き良き時代の朝ドラの定番だった家族ドラマに、ラブストーリーの要素を入れて、さらに笑いも盛り込んだ〟どころではないファンタジーも盛り込まれたのだ。朝ドラではよく幽霊が出てくるが、レギュラー化することは画期的だった。ちなみに後藤CPはかつて『つばさ』（2009年度前期）でラジオの妖精（イッセー尾形）をレギュラー化したチャレンジャーである。

未亡人の主人公が幽霊の夫と相談しながら頑張るというファンタジーなので、吉本興業の歴史やお笑い哲学のようなことは深く掘り下げられなかった。そのため話がさくさく進行して、主人公の苦労はあまり描かれない。これもまた「朝ドラ3・0」時代の作品の一面でもある。『おしん』のようなどん底から這い上がる的な物語は2010年代以降は好まれず、貧乏も嫁いびりも国防婦人会もあまり描かれなくなった。人間ドラマのディテールが描かれなくなると、ダイジェスト感が強くなる。だが『わろてんか』はこのダイジェスト感と幽霊のレギュラー化でオリジナリティーを担保したのだ。最終的に数々のツッコミを逆手にとる構成で有終の美を飾った。〝笑い〟に対してハードルが上ることを回避しつつ、最終的には笑いで締めた。この対処の仕方は見事だったと思う。後藤CPはニール・サイモンの喜劇や落語が好きだそうで、飄々としながら粋にまとめる手際はそれらに共通する後味という印象がした。

というわけで、「エキレビ!」で『わろてんか』のダイジェスト感と幽霊に関して書いたレビューを再録する。

『わろてんか』最終回　またしても爪痕つけた。
ダイジェスト師匠が渾身の劇中劇でダイジェスト

『わろてんか』最終回はこんな話

北村笑店総出の青空喜劇「北村笑店物語」が開演。芝居の途中、藤吉を演じていた田口一郎（辻本祐樹）が、亡き藤吉（松坂桃李）に、てん（葵わかな）には見えてきて……みんなの熱演によって、客席は満員、さらに天満風鳥亭の対面の祠のあった階段のところまでお客様でびっしり埋め尽くされた。彼らを前にして、てんは終演後、挨拶する。

「笑うからこそ幸せになれる。そう信じています。もしお隣にしょんぼりしたはる人がいたはったら、どうぞ手ぇとって言うたげておくれやす『わろてんか』って」

夕暮れ、誰もいなくなった舞台の前面に、てんは、幽霊・藤吉と並んで座って語り合う。

てん「これからもわろてんか」
藤吉「（ふふっと微笑む）よろしゅう頼んます」
てん「ふふふ」

一羽の小鳥が空を舞う。

万城目吉蔵作　青空喜劇「北村笑店物語」配役
てん：本人
藤吉：辻本祐樹　途中、本人
風太：本人
寺ギン：シロー
リリコ：本人
伊能：隼也
亀井：本人
トキ：本人
キース・アサリ：本人
歌子：本人

林家ペー・パー子的な人：イチ、お楽
語り：楓
演奏：シロー
析：万丈目

トキ（徳永えり）がわざと下手くそに演じている器用さと風太（濱田岳）の芸達者ぶりが群を抜いていたが、寺ギンのシロー（松尾諭）もなかなか凄みがあったのと、隼也（成田凌）の伊能もハマり役だった。「伊能」を「きのう」と聞き間違えるコントには笑った。

亀井（内場勝則）は、役と俳優が完全に混ざっていて、その存在だけでただただ面白いという名人の域。第150回のレビューで気がかりだったイチとお楽（鈴木康平、河邑ミク）も、ハデなピンクの衣裳で、ようやく見せ場が……。

ビバ！　ダイジェスト

「北村笑店物語」は、てんと藤吉が出会い、駆け落ちし、風鳥亭を買い取って寄席を始め、様々な苦難を乗り越えて、会社を大きくしていくまでの物語。ドラマの最終回にはたいてい過去の回想シーンが出てくるものだが、『わろてんか』はこれまでの主人公の歩みをダイジェスト化し、劇中劇として見せるという画期的な最終回となった。

以前、『わろてんか』第35回。本編が総集編みたい。脚本家の方を〝ダイジェスト師匠〟と呼ばせていただきたい」と書いたが、その後も順調に、出来事の詳細がみごとに省略され、明治、大正、昭和と長きに渡る芸能の歴史のいいところだけをかいつまんで描かれて最終回まで駆け抜けたうえ、そのダイジェストのダイジェストをこのように、吉本新喜劇のようなコテコテの劇中劇に昇華させた、じつに見事な決着のつけ方に惜しみない拍手を送りたい。

しかも、土曜日には、落語や漫才など、出演者たちが渾身の芸を見せてきた流れのひとつにもなって、構成的にも美しかった。


主人公の亡くなった夫の幽霊をレギュラー化したことに関しては、「『わろてんか』第139回。これは朝ドラ史にみごと爪跡を残したな、なぜならば」とレビューに書いた。それと、この最終回の劇中劇のアイデアの2点において、『わろてんか』は数多ある朝ドラのなかに埋もれることなく、キラリ光る星になったといえるだろう。

公共放送として思考が偏らないよう、大阪で生まれた吉本興業という笑いの会社を参考に、「笑い」という全人類共通のモチーフたったひとつで、あとは俳優の人間力でなんとかする、いわば芸能の原点に則って最後まで押し切った。それによって、輝く才能と輝ききれないものが明確に浮き彫りになるという、芸に対するある種の厳しさも感じられる、なかなかユニークなドラマとなったと思う。

野暮は承知でついでに書けば、芸能と劇場というものが神様への祈りとつながっているという本質が、焼け跡に劇場を建て、そこで演じる（しかも笑いを）ことで描かれていた（あくまでさりげなく）ところもなかなかのものであった。

おつかれさんでした。

おおきにありがとう。

（初出：「エキレビ！」２０１８年3月31日）

『わろてんか』本編が総集編みたい。
脚本家の方を〝ダイジェスト師匠〟と呼ばせていただきたい。

てん（葵わかな）と藤吉（松坂桃李）の情熱に根負けして、とうとう啄子（鈴木京香）が寄席を経営することを許可してくれたと思ったら、新たな買い手（兵藤大樹）が現れて……。

障害その1

華やかな音楽に乗せて「この寄席はおれらのもんや　誰にも渡さへん」「これがおれらの夢の寄席や」と、舞台のうえで藤吉がてんを抱えてくるくるまわっていたら……一転、啄子が「あきまへん」。

このぶったぎり感は、第12回で、新一（千葉雄大）がまだ生きているのかとかすかに期待しながら見たら、すでに亡くなっていた場面と似ている。

どうやら、吉田智子先生と演出家陣は、視聴者の気持ちをふわーっと高揚させたあとストンと落として笑いをとるパターンがお気に入りのようだ。これを、ぬか喜び作戦と命名したい。とはいえ、さすがに寄席が手に入るのが簡単過ぎるので、障害がいくつかあったほうがいい。それでまず、啄子の反対。だがそれも、この回のうちに解決してしまう。藤吉が買おうとしている寄席小屋は、かつて、啄子が藤吉にせがまれて入った寄席だったのだ。藤吉がなんだか心惹かれたのはそのせいだったというところはきっと、作者、会心のエピソードであろう。

障害その2

ところが、その後、新たな買い手が現れる。3日以内に500円（当時の500万円）先に払わないと、寄席が、いまをときめく太夫元の寺ギン（兵藤大樹）のものになってしまう。さあ、どうする……となったとき、てんは、あんなに行かないと言っていた実家に向かうのだった。そんな楽な……と思ったが、伊能様（高橋一生）のところに行くよりはましかもしれない。

本編が総集編みたいなんだが

状況が翻るテンポに緩急がなく、一本調子で心が沸き立たない。規則正しい機械の動きを見ているようで、心が停止してしまう。あまり思い入れせずに見ている人には、それくらいで十分なのだろう。余計な工夫はむしろ邪魔だ。だから視聴率も20%を超えている。

ただ、なんとなくこの回だけ見ているような人もいれば、毎日続けて見ている人もいるわけで。近年の朝ドラ人気は、渡辺あや、宮藤官九郎、森下佳子、岡田恵和など、いろんな作家がドラマにうねりを作ってきたからだ。どちらにとっても心地よいリズムは工夫できるはずだと思うし、どうせならそうしてほしい。

吉田智子先生は、よくできた小説や漫画を2時間の映画にまとめることはとても巧い。『岳－ガク－』も『僕等がいた』も『カノジョは嘘を愛しすぎてる』も『ホットロード』も『アオハライド』も。『クローズド・ノート』も『ぼくは明日、昨日のきみとデートする』も『君の膵臓をたべたい』もよくまとまっていた（私は『ぼく明日』がとても好きだ）。このように長らく、膨大な物語を2時間にまとめるくせがついてしまったため、『わろてんか』の本編がすでに総集編のように見えるのではないか。

吉田智子先生を〝ダイジェスト師匠〟と呼ばせていただきたい、愛をこめて。

『わろてんか』第139回。これは朝ドラ史にみごと爪跡を残したな、なぜならば北村笑店が一丸となってつくった映画「お笑い忠臣蔵」の台本が検閲保留になってしまった。そのわけを、伊能（高橋一生）は、自分にあるのではないかと考える。

検閲保留だが笑顔で前向きに

この数回は、主人公てんが能動的で、気持ち良い。大事に守られていたり、みんなを見つめていたりする役割にも価値はあるが、主人公が意思をもって積極的に動いてくれたほうが視聴者としては、安心するものだ。検閲保留を撤回してもらおうと、単身、東京の内務省に出かけるてん。検閲官の川西（伊藤正之）は改めて台本を音読する。じつは映画が好きらしい川西は、堀部安兵衛とほりの場面に感動したり、討ち入りの前、四十七士がずっこける場面で笑ったり、ひとしきり楽しむ。これは保留撤回ある？と思いきや、表情を急に変えて、このままだったら検閲保留のままだとにべもない。てんは気づく。これは、「自由主義的傾向がある要注意人物」視されている伊能のせいではないかと。成果なく、肩を落として、てんが大阪に戻ってくると、伊能は、新世紀キネマの横やりであろうと言い、まだ手がある、僕らのやっていた方向性は間違っていない、と皆を盛り立て、一同は、チェックされた台本28箇所の修正のうえ再チャレンジしようと前を向く。皆の手前、新世紀キネマの名前を出したものの（実際、新世紀キネマのひとが邪魔をしている）、栞は、薄々自分が国に目をつけられていることに気づいていた。だがてんは、そんなことはないとにっこり笑って、伊能の気分を楽にする。こういうときの笑顔は有効である。伊能がワルモノ視されている様を見ていると、大河ドラマ『おんな城主直虎』の「嫌われ政次の一生」の回を思い出す。

てんのド迫力

「世間なんてそんなもんや　人の意見に流される奴ばっかりや」リリコ（広瀬アリス）

てんのやっていることが新聞に悪く書かれるが、てんは「こんな記事忘れましょ」とニッコリ笑って打ち消す。だが、世間はしだいにヒートアップ。女性たちが寄席に押しかけ、通天閣の買収をやめろとか、下品な笑いはやめろとか、反対の声をあげはじめた。「男女のはしたない恋愛を扱っている」との言いがかり（リリコの言うところの、自分の目で確かめもしないで、記事を鵜呑みにしてしまっている）に、てんは毅然と立ち向かう。「いやらしい」でカチン！とスイッチが入るてん。矢面に立ってわめく風太（濱田岳）を押しのけ進み出ると、「うちの映画はいやらしくもはしたなくもありまへん」とド迫力。最初、小柄なてんが、下手（画面左側）の女性陣に押され気味だったのが、いつの間にか、てんの背のほうが高く見えるようにアングルが工夫されている。葵わかなのきりっとした魅力が生きた場面だった。これがいわゆる、さんしょうは小粒でもピリリと辛い、である。

当たり前のようにてんに寄り添う藤吉

「うちが伊能さん、守ってみせます」と固く決意するてん。もう当たり前のように、てんの横に座っている藤吉（松坂桃李）。一応、鈴の音がカットの頭に入り、てんが鈴を鳴らすと、藤吉の幽霊が出て来るところを省略したことがわかるが、藤吉が亡くなった話を見てない人がいたら、まだ生きていると思うのではないだろうか。しかも、自分の遺影が飾ってある仏壇に向き合っているとは……。あまりにも斬新だ。たまに出てきて、話を聞いてくれて、ねぎらって、励まして、寄り添って、アドバイスしてくれる。亡くなっているから、迷惑はいっさいかけない。幽霊の藤吉は、理想的な存在だ。週末に、亡くなった夫が出てきて、主人公と語り合う。この着想によって、『わろてんか』は間もなく１００作を迎える朝ドラ史にみごとに爪跡を残したといえるだろう。

（初出：「エキレビ！」２０１７年11月11日、２０１８年３月19日）

第3章
『半分、青い。』
朝ドラとネットに起きた“革命”

2018年4月2日～2018年9月29日（全156回）
脚本：北川悦吏子／制作統括：勝田夏子／プロデューサー：松園武大／演出：田中健二、土井祥平、橋爪紳一朗／主演：永野芽郁
あらすじ：1971年、岐阜県東部の町の小さな食堂に生まれた女の子・楡野鈴愛と、同じ町で写真館を営む夫妻のもとに生まれた男の子・律。同じ日に同じ病院で生まれた二人はお互いを特別な存在と思いながら育つが、鈴愛は小学生のときに病気で片耳を失聴してしまう。それでも家族と律に励まされ、うっかり者だが明るく成長した高校生の鈴愛は、律に借りた少女漫画に衝撃を受け、漫画家を目指すようになり、カリスマ漫画家・秋風羽織に弟子入りすることになるのだが……。

劇的なる北川悦吏子の予告神回　作家とＳＮＳ

『半分、青い。』は朝ドラとして内容も画期的だった上、朝ドラとＳＮＳの関係をそれまで以上に濃密にしたと言っていいだろう。脚本家・北川悦吏子が率先してドラマに関する話題をTweetしたことで視聴者を引きつけた。

放送がはじまって３カ月ほど経過した２０１８年６月24日時点で北川のアカウントのフォロワーは13万強で宣伝戦力としては大きかった。放送がはじまったばかりの頃、北川は「もう数字はいいんじゃないか」「（こういうつぶやきは）ヤフーニュースにならない」とTweetし、さらに重ねた（２０１８年６月３日のTweet）。ところがそれがネットニュースで取り上げられて注目された。

視聴者のつぶやきを拾って記事を作っているネットニュースとしては脚本家の一次情報は願ってもないもの、以後、北川悦吏子がこのようにTweetしているとまめに記事にしていった。

北川は毎日のようにその日に放送された回の裏話や、創作作業におけるいろいろな心情、過去作の思い出などなどをつぶやき、あるときは「予告ホームラン」ならぬ「予告神回」を発信し、朝ドラにおける「神回」を定着させた。

「神回」とは震えるほど圧倒的な感動を覚える回のこと。それまでは放送を見た視聴者が今日は「神回」だったとTweetする、あくまで視聴者目線のものだったが、北川悦吏子は自ら「神回」宣言した。それがネットニュースにもなって拡散し、盛り上がった。北川はネットを見事に使いこなしたと言っていいだろう。

北川悦吏子のTweetがもたらしたもの

6月23日の第72回から6月24日の第73回にかけて「神回」であると北川がつぶやくと、スポニチアネックスがすかさず「「半分、青い。」北川悦吏子氏　2度目の「神回」予告！鈴愛と律は再会？再び激動の週明けに」という記事を配信した。ちなみに1回目に予告された「神回」は6月11日放送の第61回で「ばいばい律」「ばいばい鈴愛」と七夕の日にふたりは別れる。それから10回ほど進んで第73回、鈴愛と律が5年ぶりに再会する。これが北川がいう2回目の「神回」。「夏虫」というなんとも文学的な名前の駅で電車が来るまでの20分間、「グミ・チョコレート・パイン」というじゃんけんゲームをやりながら時間をつぶすふたりのエモいやりとりは確かに「神回」であった。

北川は神回予告のみならず、〝リツは、もしここで逢えたなら、プロポーズしようと思って岐阜に帰って来ています。就職も決まったし。〟とオンエアを見ただけではわからない律の内面も補足説明した（2018年6月25日のTweet）。そんな裏話を明かされたら、ファンは盛り上がるしかない。

朝ドラ裏事情を北川はいくつも明かしている。「予算がないからロケができない」などと制作側としてはおそらく耳の痛い事情まで。北川のおかげで朝ドラの事情を把握することができたし、スタッフ取材のときの参考にさせてももらえた。ただし、使用可能な回答がもらえるとは限らないのだが。

北川のTweet、ネットニュースとひとつのソースが拡散していく、それもフェイクではない真実である。これほど理想的な広報展開はない。視聴率の上昇に北川の宣伝Tweetも寄与していたと考えていいだろう。

制作者がどこまで語るべきかは難しいところである。語り過ぎても鼻白む。それが作家自身であってもネタバレをいやがる視聴者もいるし、神回かどうかは我々が決めるのだというプライドを持つ視聴者もいた。

人気脚本家たちのSNS事情

実は、作家自ら「神回」と打ち出す以前に、北川の書くものを勝田夏子CP（チーフプロデューサー）は「神様に書かされているみたいな感じになる」と表現していた。筆者が「otocoto」で勝田CPにインタビューしたときこのように語っていた。

――最初に会った北川さんはどんな感じでした？

勝田：朗らかでフランクな方でした。ただ、やり取りしていると、まったく常人と発想法が違っていて、驚くことがたくさんあります。集中力が尋常じゃないし、自分が書いているのではなく、まるで神様に書かされているみたいな感じになる。一気に集中して書くと、書いたことを忘れて、あとでご自分で書いたものを読んでびっくりされたりして（笑）。そういう方はなかなかいないです

――これは神がかってる！と勝田さんが読んで思ったシーンはどこですか。

勝田：例えば、2週目でヒロインが失聴するあたりの描き方は本当に凄いと思いました。

おそらく、ご自身も失聴されていたり、病を抱えられていたりするからでしょうけれど、描き方が、型にはまらず、深く、なおかつ、深刻になり過ぎない。ものすごくシビアな側面と、でも、人間って、落ちるところまで落ちたら、必ず立ち上がるよねという希望を失わない力強さが、圧倒的に迫ってきました。

（「otocoto」2018年4月30日、本書収録）


第2週目からすでに神回があったのだ。

作り手自ら「神回」を決めるのは好みがあるとしても、ある程度、種明かしをしてくれると楽しめたりするのも事実である。例えば主人公・鈴愛が地元の友人・菜生（奈緒）にもらったカエル柄のワンピースは、北川自身が永野芽郁にプレゼントしたものだという裏話Tweetは微笑ましいものだった。

実は……と当事者から聞かされることは視聴者の大好物で、そのニーズをうまく使って盛り上げたドラマといえば、『アンナチュラル』（TBS系）がある。脚本家の野木亜紀子は、今年（2018年）1月から3月の放送中、制作裏話をTwitterでつぶやき好評を博していた。フォロワーは10万9千強（以下、脚本家たちのフォロワー数は本原稿執筆当時のもの）。また4月から6月期の月9ドラマ『コンフィデンスマンJP』（フジテレビ系）の脚本家・古沢良太（フォロワー2万8千強）もTwitterも使いつつ、自身のブログで各話放送のあとに裏話を長めに書いていた。Twitter

はどちらかというとブログへの誘導に使用されている印象だ。

同クール放送の『家政婦のミタゾノ』（テレビ朝日系）の脚本家・八津弘幸（のちに『おちょやん』を書くことになる）が自身のドラマの最終回を宣伝Tweetしていたところ、古沢が〝ミタゾノ最終回、冒頭でコンフィデンスマンのパロディやると谷津さんが連絡くれた。どんなんだろ。こっちもテレ朝ドラマの音楽まで使ったりしたので持ちつ持たれつ。〟と援護射撃をしていたのも楽しかった（2018年6月8日のツイート）。

視聴率が低かったがSNSの反響が圧倒的だった『おっさんずラブ』（テレビ朝日系）の脚本家・徳尾浩司（フォロワー2万8千強）もTwitterでも視聴者を楽しませている。最近は「質問箱」を使って脚本家の仕事のもろもろを発信している。

『勇者ヨシヒコ』シリーズや映画『銀魂』の福田雄一、『パパはニュースキャスター』などの大御所・伴一彦、2018年4月〜6月『シグナル　長期未解決事件捜査班』（カンテレ制作・フジテレビ系）が面白かった尾崎将也、朝ドラ作家でもある今井雅子（『てっぱん』）、『リバース』（TBS系）の脚本を書いた清水友佳子（のちに『エール』に参加）、『東京タラレバ娘』（日本テレビ系）の松田裕子らもマイペースに発信している。『カルテット』（TBS系）などの坂元裕二はInstagramを使っている。

朝ドラ作家では『ひまわり』を書き、『昼顔〜平日午後3時の恋人たち』（フジテレビ系）や『BG〜身辺警護人〜』（テレビ朝日系）などのヒットドラマを多く手掛ける井上由美子は、シナリオ講座のゲスト講師を務めた際、授業内で取り上げられなかった質問に答えるアカウントを作っていた。

『わろてんか』の吉田智子はTwitterアカウントを持ちながらオンエア中はほとんど作品に関してつぶやいていなかった。岡田惠和はアカウントすら持っていないと言う。大森寿美男もSNSをやっていない。このように朝ドラの脚本家が放送中に情報発信することは珍しく、北川悦吏子の発言の数々は新鮮だった。その後『スカーレット』の水橋文美江はインスタで情報発信していた。

SNSが生み出したファンとアンチの対立

作家は基本的にはオンエア中、執筆作業をしていることが多いからまめな発信はしづらいだろうということと、やっぱり個人だとネガティブな攻撃にも遭う危険性もあり、北川のようにネガティブなレスにも果敢に立ち向かう態度は貴重である。

実はこのようなつぶやきを先駆けて行っていた朝ドラ作家がいた。『カーネーション』の渡辺あやである。以前、筆者のインタビューで彼女はこのように話してくれた。

主演俳優が尾野真千子さんから夏木マリさんに変わった理由が憶測で語られていたので、

正しく伝えたかったんです。ツイッターのやり方がわからないけれどどうしても反論したかったので、娘にアカウントを立ち上げてもらって、書きたいことを書いたら、あとは放置してしまいました。

本来、1ツイートに3時間くらいかけるほど悩んでしまうのでやらないですが、どうしてもやらないとならないときにはやります。

（「脚本家・渡辺あやインタビュー（2）脚本家・渡辺あやの参加意識「巨人軍のコーチみたいなもの」」クイック・ジャパンウェブ、2021年7月25日）

以前、SNSを有効に活用しているTBSの植田博樹プロデューサーに取材したとき〝作品を護るため〟だと聞いたことがある。渡辺の場合、自作の大事な主演俳優を護るために自ら発信をしたのだ。

自分の作品は自分で護ることも大事だと思う。とりわけフェイクニュースが多い世の中である。作品は放送されたら視聴者が自由に感じて、小説における誤読もあっていいことは前提だとしても、SNSの発展により、あまりにも本質とずれた内容が拡散してしまうことは避けたくて、あの場面はこうなのだと真実を明かしたい気持ちもわかる。とはいえ、あまりにも速く正解が明かされてしまうと、ああかなこうかなと考察する楽しみがなくなってしまう。そのためか近年は「考察ドラマ」という視聴者が自由に妄想していいジャンルのドラマが作られるようになった。作者が絶対に伝えたいテーマ性の強い真実はひとつのドラマと、視聴者に委ねいくつもの道筋のあるドラマの二分化が進んだ一因はSNSの利用者の拡大であろう。

『半分、青い。』は考察ものではなく作家性の強い作品である。脚本家が自ら発信したため、視聴者による内容の自由な解釈がしづらくなり、作家性をより堅固にしたともいえる。

その作家性の強さは賛否両論を呼んだ。主人公・鈴愛はバイタリティーがあって、わがままにも思えるほど自由に生きていく。彼女の言動をはじめとしてストーリー展開も型破り。ゆらぎない作家の筆による主人公の信念の強さに反発する視聴者、いわゆる「アンチ」が現れた。ドラマには賛否両論があったほうが盛り上がるとはいうものの、『半分、青い。』のアンチの声は大きく、ツイッターで「#半分白目」というハッシュタグが生まれた。

ハッシュタグは『半分、青い。』を好むファンが読まないようにという紳士的な自主規制だったが、ファンはどうしても気にして読んでしまう。こうしてファンとアンチとの対立が生まれた。読まなければいいのに。そのために棲み分けをしているのに。というアンチの言い分と、アンチが存在することそのものが許せない熱狂的なファンとの対立はいまや「朝ドラ3・0」時代の風物詩になっている。

少なくとも『半分、青い。』に関しては、この対立が番組を盛り上げていた。熱病のように視聴者もアガっていった。各回平均視聴率を21％台（ビデオリサーチ調べ　関東地区）に引き上げた（近作3作は20％台。高視聴率だったのは『とと姉ちゃん』22・8％、『あさが来た』23・5％など）。

『エール』（2020年度前期）では、近現代史研究者・辻田真佐憲が『エール』に書かれていることと史実との違いを「Yahoo!ニュース個人」で定期的に指摘する寄稿をして話題になった。合わせてドラマも盛り上がった印象だが、ご本人が番組を盛り上げる意図があったかは定かではない。研究者として史実との違いを見過ごせなかっただけかもしれない。『ちむどんどん』（2020年度前期）では「#ちむどんどん反省会」というアンチタグがニュース記事になるほどになった。

朝ドラのSNS戦略

『半分、青い。』ではいったいどこまでが戦略だったのか。筆者はオンエア中、「Yahoo!ニュース個人」で広報P（プロデューサー）・川口俊介に取材をした（「朝ドラ『半分、青い。』ネタバレとの闘い。SNS時代の後方戦略をプロデューサーに聞いた」「Yahoo!ニュース個人」2019年9月28日）。川口は大河ドラマ『真田丸』でも独特な広報のスタイルを作り番組を盛り上げてきた人物である。例えばそれは、ネット媒体にできるだけ番組スチールを貸して記事にオフィシャル感を出すことだった。NHKの広報はスチール貸与のジャッジが厳しく、当時、新規の媒体はなかなか貸してもらえなかった。借りるには原稿のチェックが必須であった。それを川口は原稿チェックなしで新規媒体にもスチールを提供してくれたのだ。目的は、多くの媒体を味方にして広報を拡散することだった。オフィシャル写真があるほうが記事の信頼性が高まり、読者も増える。川口は番組と媒体のウィンウィンの関係を作ろうとしていた。残念ながら筆者の朝ドラ毎日レビューは『半分、青い。』ではチェックなしに写真を借りることができなかったが、その後、NHKはキービジュアルだけは幅広く提供する体制を整えていく。

「Yahoo!ニュース個人」で取材したとき「脚本家の北川悦吏子さんのTweetが盛り上がりましたが、広報戦略のひとつではないんですか?」と聞くと、川口の回答はこうだった。

「北川さんのTwitterは、ご自身の発信によるものです。元々フォロワーも多かったため注目されましたが、当事者が個人として語ることはこれまでもありました。例えば、私が広報担当だった大河ドラマ『真田丸』(2016年)では、時代考証の丸島和洋先生が個人的Twitter(期間限定で番組終了と共にアカウントは閉じられた)で視聴者とダイレクトにやりとりしていました」

「来年の朝ドラ『なつぞら』の制作統括の磯智明も、大河ドラマ『平清盛』(2012年)でTwitterで解説を行い話題になっていました。そうやって、プロデューサー個人はどう考えているのか、時代考証スタッフはどう考えているのか、脚本家は……という話から議論がはじまり、そこから新たな価値観が生まれてくることもあると思います。それは広報の仕事も同じで、とりわけ最近は、情報を出して終わりではなく、出したものがどういうふうに転がっていくか考えることが重要と私は思っています。例えば、地域で開催した関連イベントが満員御礼だったとしても、そこで満足しては意味がなくて、その内容をきちんと全国に届けて、会場に来たお客さんの何十、何百倍もの人に知ってもらい、その積み重ねでムーブメントを作るのが広報の仕事です。また、『真田丸』では提供する写真の点数を増やしました。そうすることで、ウェブの記事になったときに、各社が使う写真がそれぞれ違うものになりました。同じソースによる記事やインタビューでも写真が違うと見てもらえて、それで各記事のPVも上がり、番組の露出度が増えました」

川口は『半分、青い。』の広報プロデューサーとして様々な仕掛けを行った。

「まず、このドラマは、家族軸と恋愛軸が十字に交差しているという点がおもしろく、そこに80年代、90年代といった時代性、岐阜という地域性、魅力的なキャスト、星野源さんの主題歌なども加わって多様性の高いものと感じましたので、レスリー・キーさんのポスタービジュアルなど話題性に富んだ情報を加えることで、SNSで大いに語り合ってほしいと考えました。PVをとれるコンテンツにするというのは目標のひとつで、情報が多ければ多いほど、紹介してくれる各ウェブ媒体の内容も多様化し、それによってPVも増えるであろうと」

「スタッフと共に徹底して読み込み、ホームページも作り込みました。事前に情報を出すよりも、オンエアを見て興味をもってくれたものを、後から丁寧に紹介して、より楽しんでもらうことを重要視したくて。その最たるものは、鈴愛の漫画です。一瞬しか出てこない漫画原稿を、

「1・5チャンネル」という動画サイトで読みやすくしたうえで出しました」

鈴愛の漫画はドラマのなかに小道具として登場する漫画原稿のことで、北川悦吏子と旧知の仲であり、『あまちゃん』以降、Twitterで朝ドラ絵を投稿して人気を博し、『マッサン』ではコミカライズも担当した漫画家のなかはら・ももたが描いた。その漫画をドラマ放送時に「1・5チャンネル」というNHKの動画サイトで公開したのだ。

「朝ドラをきっかけに町おこしというか、地元の方にはその土地のいいところを再発見してもらい、外の人にもそこに行ってその良さを感じてもらいたい。今は、大きなイベントに予算を使うよりも、来た人たちが個々に興味をもったもの満足したものをTwitterやインスタで上げてくれることで広げてもらうことを提案しています。そのため、『半分、青い。』の方言指導の尾関伸次さんにも大いに活躍していただきました。オンエア中だけでなくドラマが終わっても、地元出身の彼をドラマの象徴としていてほしいと思ったからです。彼を見たらドラマを思い出すみたいになればいいなと。ドラマをきっかけに地域の皆さんが自発的に動いてもらえるような空気感や体制を作ってもらえるように促すことも広報の仕事と思っています」

川口はさらに、朝ドラ前後の番組との連動も積極的に仕掛けた。『あさイチ』の朝ドラ受けはイノッチこと井ノ原快彦と有働由美子アナと柳澤秀夫によって確立されたことは拙著『みんなの朝ドラ』で書いているが、『半分、青い。』放送時、井ノ原、有働、柳澤が番組を卒業し、博多華丸・大吉と近江友里恵アナに変わったことで新たな〝朝ドラ受け〟が模索されることになる。

「昼の再放送後の『ごごナマ』も〝朝ドラ受け〟をしてくれましたし、朝のニュース『おはよう日本』も〝朝ドラ渡し〟をしてくれました。中でも『あさイチ』は大きかったです。リニューアルした『あさイチ』と同じ時にはじまった『半分、青い。』はどこか同期のように感じていて、いい関係を築けました。華丸さんと北川悦吏子さんの対談も、『あさイチ』とうちと、どちらともなく一回対談したら面白そうだということで実現しました（ことの発端は、朝ドラ受けをしている華丸と話したいと北川がTweetしたこと）」と川口は語った。

当初は華丸が朝ドラ好きとして前のめりに朝ドラを語り、大吉はあくまで冷静な態度をとっていたが、徐々に大吉も番組にコミットするようになっていく。『ちむどんどん』ではかなり積極的に番組をシニカルに批評し視聴者を喜ばせるようになった。

また、大人気を誇っていたイノッチと有働の朝ドラ受けがなくなった代わりに『おはよう日本　関東版』の高瀬耕造アナが朝ドラを語り、それが〝朝ドラ送り〟となり注目されるようになった。関東ローカルだったがTwitterで話題になって、『おはよう日本』の公式アカウントで朝ドラ送りの映像をTweetするようになってついに全国区のものとなる。

はじまりは、２０１９年9月26日。「【けさの〝朝ドラ送り〟】朝の連続テレビ小説が始まる直前、番組の最後にキャスターが時折ドラマに触れることがあります。この時間帯は全国放送ではないため、関東甲信越でしか見ることができません。今回は特別に！」というツイートとともに動画が投稿され、その後「2019年9月30日」の【きょうから#スカーレット】から各地方でも〝朝ドラ送り〟が行われるようになった。

高瀬アナの〝朝ドラ送り〟も当初、和久田麻由子は朝ドラを見ないスタンスを貫き塩対応だったが、桑子真帆に代わってから高瀬とふたりで朝ドラ語りするようになった。和久田も2022年4月時には朝ドラを観るようになったと出演番組で語り、アナウンサーと朝ドラの関わりも変化し、朝ドラを観ないスタンスはなくなってきているようである。井ノ原、有働時代には、朝ドラに興味のない視聴者もいるのだから内輪受けをしないでほしいという意見にも耳を傾けていたNHKだが、昨今は朝ドラに興味のない層について以前ほど気にしていないようだ。それだけ朝ドラがネットにもユーザーを広げたいNHKにとって重要な存在となったのであろう。

2022年の4月には高瀬が『おはよう日本』を卒業、昼のニュースで朝ドラの後の表情に注目されていた三條雅幸アナの朝ドラ受けが期待された。熟慮しながら時々『ちむどんどん』の朝ドラ送りを行っているが、5月の時点ではニュースキャスターとして生真面目な面が出ているようでそれはそれで個性があっておもしろい。報道を志すキャスターが娯楽の朝ドラに興味がないことや、切り離したスタンスを選択するアナウンサーがいてもおかしくはないのだが、今やジャーナリストも朝ドラをジャーナルとして扱うことが必須になっていることを感じる。

さて。今一度、川口広報Pの話に戻ろう。『半分、青い。』で事前に情報を出す北川に対して川口は事前に極力情報を出さず視聴者が見て自由に盛り上がることを大事にしていた。画期的だったのはクランクアップ会見をやらなかったことだ。

「クランクアップの日の撮影はたいてい最終回に近い場面なので、そこの写真を公開すると、皆さん、大体こういうふうに終わるのかなとあらかじめ感じてしまう。それをなるべく防ぎたいと思いました。視聴者の皆さんにドラマの世界を楽しんでいただけることを第一に考えてのことです」と川口は語る。これは『カムカムエヴリバディ』で踏襲された。コロナ禍ということもあったが『カムカム』はクランクアップの様子を事前に出さなかった（詳細は349ページの「『カムカムエヴリバディ』とネット」をご参照ください）。

「SNSの広がりによって、以前より視聴者がネタバレに敏感になっていることは感じます。あらすじの出し方は今後の課題かもしれません」と川口が語るように、ネタバレして視聴者の気持ちを削いでしまうことを警戒しないといけないようにもなっていた。

「媒体の発売日のタイミングに合わせて、情報出しの規制はこれまでもありました。紙媒体の場合、月刊誌と週刊誌と日刊紙とではあらすじの出し方が違っていて。月刊誌だと4週、5週先までのあらすじをふんわりした内容で出します。ただそれを週刊誌に出てしまったらネタバレになる。さらに、週刊誌に出す来週、再来週ぐらいのあらすじを日刊紙で書いたらこれまたネタバレになります。そうやって気を遣ってきたところ、ウェブでの情報が活性化した結果、放送当日の朝、本日のあらすじとして出ていたものが、前日の放送終了後に出るようになって、これがネタバレだと言われるようになりました。ノベライズは、読めば内容はほぼわかってしまうもので、それを昔は読みたい人が読んでいただけでしたが、今は、手に入れた人がウェブに書き写すこともあって……。ウェブの速報性がネタバレという意識に拍車をかけていると感じることがありました」

このように朝ドラとSNSの関係はいいところと難しいところがあるが、うまくバランスをとりながら共存しているのである。

『半分、青い。』制作統括・勝田夏子さんインタビュー

NHK連続テレビ小説第98作『半分、青い。』は、片耳を失聴しながらも明るく前向きに生きていく主人公・楡野鈴愛（永野芽郁）の物語。お母さん・晴（松雪泰子）の体内に宿った胎児の頃からドラマがはじまり、岐阜の自然のなかで、すくすくと育ったこども時代は涙腺を刺激し、甘酸っぱい高校時代を経て、舞台はいよいよ東京へ……、鈴愛が漫画家になるべく奮闘するターンとなる。

月9ドラマ『ロングバケーション』（1996年）、日曜劇場『Beatiful Life～ふたりでいた日々～』（2000年）など、神話のようなラブストーリーを何作も生み出してきた北川悦吏子が、恋愛だけでなく、家族愛に挑んで、多くの視聴者の心を鷲掴んでいる。

北川悦吏子ドラマで朝ドラ革命に挑む『半分、青い。』の制作統括・勝田夏子さんに話を聞いた。

――勝田さんが初めて関わった朝ドラ（連続テレビ小説）はなんでしたか？

勝田夏子（以下、勝田）：『すずらん』（１９９９年度前期）です。そのときは、ほんとに下っ端でした。

――『すずらん』からやっている朝ドラのベテラン勝田さんですから、朝ドラのノウハウも相当もっていらっしゃるのでしょうね。

勝田：いえ……ノウハウって、あるようでないものなんですよ。というか、時代と共に見直されていくものなのです。例えば、話の構成でいうと、台本が１週間（月〜土の６回）で１冊なので、基本は１週間単位で話のうねりを考え、そのピークを最初のうちは土曜日にしていたところ、ある時期から、土曜ではなく木曜ぐらいじゃないか？と考えるようになったなんてことがあります。たいていの脚本家さんは、１週間分をまとめて書いてくださいますが、『半分、青い。』は、北川悦吏子さんが「１日１本ずつ見るドラマだから、１本ずつ短距離走で書く」とおっしゃって、１日１話分を書いて送ってくださることがすごく新鮮です。もっと言えば、「週ごとにきっちり話に収まりをつけると予定調和になるから、それはむしろ外していきたい」とおっしゃったことが目からうろこの思いでした。確かに毎日１話ずつ見ている側からしたらそれもそうかもしれないですものね。

――15分の間に起承転結のものすごいうねりがあったりするときもあるわけですね。

勝田：ありますね。北川さんは「15分のドラマではいろいろな手数が出せる」とおっしゃって、普通のドラマではやれないようなイレギュラーな展開を効果的に描いていらっしゃいます。

――今は何話ぐらいまでできあがっていますか？（取材は、初回放送直前ぐらいに行いました）

勝田：大体半ばぐらいを撮っています。進行は早いほうだと思います。

――物語全体の構想は、最初に北川さんが決めるのですか？　それとも話し合いですか？

勝田：かなり長い時間かけて話し合っています。企画自体は一昨年の夏から取り掛かっていました。

――朝ドラの企画は大体2年ぐらい前から動き出すものなのでしょうか。

勝田：そうですね。

――北川さんとやろうと思われたのは、勝田さんですか？

勝田：まず、北川さんがドラマ制作部に何年も前から企画を売り込まれていて。その企画が採択されたときに、私にやらないかと話が下りてきました。私は、『運命に、似た恋』（2016年、NHK）の台本を読んで、これはとてつもない作家さんだなと思っていたので、ぜひご一緒させていただきたいと二つ返事でした。

――最初に会った北川さんはどんな感じでした？

勝田：朗らかでフランクな方でした。ただ、やり取りしていると、まったく常人と発想法が違っていて、驚くことがたくさんあります。集中力が尋常じゃないし、自分が書いているのではなく、まるで神様に書かされているみたいな感じになる。一気に集中して書くと、書いたことを忘れて、あとでご自分で書いたものを読んでびっくりされたりして（笑）。そういう方はなかなかいないです。

――これは神がかってる！と勝田さんが読んで思ったシーンはどこですか。

勝田：例えば、２週目でヒロインが失聴するあたりの描き方は本当に凄いと思いました。おそらく、ご自身も失聴されていたり、病を抱えられていたりするからでしょうけれど、描き方が、型にはまらず、深く、なおかつ、深刻になり過ぎない。ものすごくシビアな側面と、でも、人間って、落ちるところまで落ちたら、必ず立ち上がるよねという希望を失わない力強さが、圧倒的に迫ってきました。

――登場人物が絶望から立ち上がることは、朝ドラに連綿とあるものですね。

勝田：そう思います。今回、〝新しい朝ドラ〟という部分が話題の中心になっているため、「どういう新しさがありますか」とよく聞かれますが、もちろん、新しい面もありながら、意外に朝ドラらしいというか、むしろ王道と言ってもいい面もあると思っています。

――普遍的な部分と新しい部分の両方があるところがいいですね。

勝田：北川さんにとっての新しさとしては、〝ホームドラマ〟です。はじめての挑戦ということで、家族をすごくしっかり描いていてくださっています。北川さんの描く家族はこんなにすてきなんだということは、発見でした。

――そこには新しい家族像みたいなものが見えますか？

勝田：どちらかというと本当に朝ドラらしい家族だと思いますが、それが演じる俳優さんたちの演技とあいまって、すごくいい空気感になっています。

――〝朝ドラらしい家族〟というのはどういうものでしょうか。

勝田：ヒロインを家族みんなが支えていることですね。みんながヒロインのことを考えて、包容力を発揮する。鈴愛が失聴したとき、おじいちゃん（中村雅俊）とお父さん（滝藤賢一）のお布団に入るシーン（第11回）が私は大好きで、ああいうシーンを見ると本当にいいなあと思いますね。

――まさに理想の家族ですよね。

勝田：今のこの世の中からするとそういう良い家族像というのは。ちょっとファンタジーになってしまうかもしれませんが、楡野家は、見ていて、ああ、こういう家族がいたらいいなあと、ホッとするような家族像だと思います。

ですね。

――〝ラブストーリーの神様〟という謳い方もされていますが、北川さんの描く家族も注目ですね。

勝田：家族の描写や、コメディなど、北川さんの引きだしの多さを感じていただけると思います。

――コメディといえば、現場を見学させていただいたとき撮影していた第6週で、萩尾夫妻（谷原章介、原田知世）と楡野夫妻（滝藤賢一、松雪泰子）が集まって語るシーンの、言葉のチョイスが面白かったです。

勝田：ああ、あれですね。変なシーンでしょう（笑）。あれはやっぱり、北川さんじゃないと出てこない言葉だなと思います。北川さんの描くワンシーンは、一色ではなく、何色もあるイメージです。例えば、ご覧になったシーンは、ある出来事に対する謝罪のシーンですが、意外性のある言葉を挟むことで、ただ申し訳ない思いが伝わるだけでなく、不思議な味わいのある場面になります。ほかにも、6話で、鈴愛と晴（松雪泰子）が語りあっているとき、傍らの布団の中で宇太郎が「俺に感謝はないのか」というモノローグなども、普通は入ってこないもので、感心します。

――よく現場のノリで脚本にないセリフが足されることがあると聞きますが、ちゃんと台本に書いてあるんですよね。

勝田：そうなんですよね。

――今回は「ザ・北川さんワールド」なので、あんまり現場でアドリブ入れるようなことはない？

勝田：ないですね。むしろ、本当に忠実に北川さんの脚本を演じることを心がけています。

――北川さんは、以前もハンディキャップを持った主人公のドラマを描いていらっしゃいますが、今回、主人公がハンディキャップを持っている設定はどなたのアイデアですか。

勝田：主人公が失聴している設定は、もともと『半分、青い。』の企画を北川さんが持ち込まれたときからありました。たぶん、企画書を最初に書かれたときは、ご自身が失聴されて間もなかったと思うんです。その企画の骨子は、片耳が聞こえず、片側しか雨の音が聞こえなくても、片側の雨があがったときに「半分、青い」と言えるような前向きな発想力とバイタリティのあるヒロインを描きたいというものでした。そのときからすでに『半分、青い。』というタイトルもついていたんですよ。話し合いは、その企画をどう膨らませていくか、というところからはじまりました。

――ハンディキャップを持ったヒロインは、これまでの朝ドラではなかったかなと思いますが。

勝田：なかったですね。たぶん、もう少し前だったらこの企画は通らなかったかもしれません。それが、放送の年、2018年にはパラリンピックがあり、身体障害者の方々への理解の土壌が以前よりしっかりできているのではないかということも、すんなり通った一因ではないかと思います。それと、私は以前に一度、障害者の方を題材にしたドラマを作ったことがありまして、一作で終わらせず、引き続き、テーマとして追求していきたいと思っていたのです。

――勝田さんが演出をやっていた『ゲゲゲの女房』(2010年度前期)は、主人公の夫(向井理)が左腕を戦争で失くしています。考えてみたら、朝、片腕のない人が出てくることはなかなかショッキングなことだったのではないでしょうか。

勝田：確かにそうですね。あのときは、〝水木しげる〟さんというアイコンがあったので、自然に受け止めていただけたのではないでしょうか。たぶん、誰も〝片腕のない人の物語〟とは見ていなくて、あくまでも〝水木しげるさんの物語〟として見ていたと思います。

――『ゲゲゲの女房』の話が出たついでに、忘れないうちに聞きたいことがあって。岐阜クランクイン取材会に伺わせていただいたとき、鈴愛がふくろう商店街を「世界で一番熱い夏」を歌いながら踊って走ってくる場面を撮るカメラの前にガスコンロが置いてあって、陽炎が立つ画面はこういう風に撮るのか、と思って見ていたんです。そして、勝田さんにお会いするので『ゲゲゲの女房』を見直していたら、勝田さんの演出回にも、夏の陽炎が出てきました。

勝田：そんなところまで見ていただいてありがとうございます（笑）。

――あのときもコンロで？

勝田：コンロでやりました。「陽炎持ってきて」って言ったら必ずコンロが出てきます（笑）。

――現場に、大河ドラマ『真田丸』（2016年）のジャケットを着た人がいて、『真田丸』に参加されていた方もいるのだなあと想像する楽しみもありましたが、スタッフ構成も勝田さんが決めるのですか？

勝田：スタッフは、各部署に、今回の題材がこうだから、こういう資質の人を探していますと希望を述べて、提案してもらいます。

――今回はどういう資質の人を集められましたか？　例えば、演出や美術スタッフの方など。

勝田：美術に関して言うと、すごく美意識の高い北川さんが描く美しい世界をちゃんと形にできること。あと、時代が何十年にも渡るので、そういうことをきちんと表現できる人ということでご相談しました。

――チーフディレクターの田中健二さんはどういう特性をお持ちですか？

勝田：田中は、朝ドラでは『カーネーション』（2011年度後期）でチーフ演出をやっていました。私は『軍師官兵衛』（2014年）を一緒にやっていて、シリーズを任せられる監督としてとても信頼しています。長いシリーズではとりわけ、腕が良いのみならず、クルーを盛り上げ、この人についていきたいと思わせる人間力みたいなものも求められます。その点、田中は、クルーをぱっと明るくさせる力を持っています。そう思って、田中に頼んだところ、北川さんの朝ドラだったらぜひやりたい、と引き受けてくれました。

――『カーネーション』はプログレッシブカメラを使った風合いのある映像になっていましたが、今回のルックにはどういう狙いがありますか。

勝田：朝のドラマなので、基本は明るく、でも、時代物の場合は、明るくして何もかもがはっきり映ると古く作り込んでいる部分がわかってしまうので、背景のフォーカスをぼかしてちょうどいい感じの質感に見せる工夫をすることもあります。今回は、時代物ではないですが、やや昔の80年代を描くので、はっきりし過ぎず、淡くし過ぎず、中間くらいを狙っています。

――とくに新しい技術を使っているわけではないですか。

勝田：田中はもともと、お芝居を大事にして俳優の芝居以外に画面を作り込み過ぎることはあまり好まない演出家ですし、今回は、作品の性質を鑑みて、視聴者の方が観ていて安心できる〝テレビらしさ〟みたいなものを大事にしてくれています。映画のような色調だと視聴者の方が遠く感じることもあるんです。

――『半分、青い。』なので、ブルーをテーマカラーにしているようなことはありますか？

勝田：青をどこで使うかは、各部署みんなものすごく考えていると思います。ルックそのものが青みをかけるようなことはないですが、青はすごく大事な色としてそこここで使っているはずです。

――ドラマの最後に映る視聴者参加の「写真の上に絵を描く」アイデア写真、ああいう企画も勝田さんが考えられるのですか？

勝田：あれにしようと言ったのは私ですが、参考にしたのは、くろやなぎてっぺいさんが作ってくださったタイトルバックです。窓に何か描くと……外の景色が別のものに見えるアイデアがすごくおもしろいと思って、それをエンド５秒にも入れようと考えました。

――フィルターをかけると違う世界ができあがる発想はすごくステキですし、「レイヤー社会」みたいなことが言われて久しい、その現代性も感じました。それは、勝田さんが作品に関して感じている何かにつながりますか？

勝田：くろやなぎてっぺいさん始め、何社かに参加してもらって、タイトルバックのコンペをやったとき、「何かを半分失っても、発想の転換で前向きに強く生きていける、ということがこの番組の一番の趣旨です。ヒロインの鈴愛は、半分しか雨音が聞こえないことを悲しむのではなく、半分だけ雨音が聞こえたり、それがあがって青空になることを楽しめたりしながら、前に進んでいく女の子。彼女の精神みたいなものがこのドラマの軸になっていきます」というようなことを説明したら、意図を汲んで、ああいう風なアイデアを提案してくださいました。

――勝田さんは『ゲゲゲの女房』のときにも漫画を描く場面の演出はやってらっしゃるので、『半分、青い。』の漫画のシーンのノウハウは熟知されているでしょうね。

勝田：いえ、そんなこともないんですけれど……(笑)。漫画を描く場面の何が難しいかといえば、漫画家さんは〝描く〟ことが中心で、ほとんど机から動かないため、動きが限られてしまうことです。そうなると、アングルも限られますから。細かい部分では、原稿も用意しないといけないし、俳優本人がどこまで描くかも考えないとなりません。絵がはっきり映るところはプロの方に描いていただくことになるので、段取りが、通常の撮影よりも増えます。また、今回、『ゲゲゲの女房』と違うのは、仕事場のセットです。鈴愛が取り組むのは少女漫画のうえ、くらもちふさこさんのようなスタイリッシュなものを描いている集団なので、セットも『ゲゲゲ～』

とは全然違います（※仕事場は、漫画家・清水玲子の仕事場を参考にしている。くらもちの仕事環境は現在デジタル化されていて、当時のようなアナログの描き方をいまもやっている数少ない作家ということで清水が選ばれた）。

――『ゲゲゲ～』では向井理さんが力を振り絞って描いている表情が印象的でした。

勝田：『ゲゲゲ～』では〝水木しげる〟さんというカリスマが全身全霊で描いている姿が、奥さん（松下奈緒）の心を打って、「一生この人を支えていこう」と考えることをすごく大事にしていました。『半分、青い。』でも、その精神性は変わりません。北川悦吏子さんご自身が、漫画と脚本というジャンルは違えど、〝ものを書く〟ということについてのプロとしての強い矜持を持ち、それこそ〝命がけで書く〟ということを実践されている方だからこそ、『ゲゲゲ～』と同じような凄みが表現されているシーンがたくさん出てきます。紙の上で死闘が繰り広げられている。それをどう表現するかは演出の腕の見せ所だと思います。

――くらもちふさこ先生の代表作『いつもポケットにショパン』など、実在する作品を、違う作家が描いているという話にされていることがおもしろいと思いました。

勝田：今回、北川さんとくらもちさんがお知り合いだったことから実現した企画です。『オレンジデイズ』（2004年）のノベライズの表紙をくらもちさんが描き下ろされたご縁で、知り合われたそうです。北川さんが、カリスマの秋風が考える漫画の内容を、本編とは別にひねり出すことはものすごく大変なことなので、くらもちさんにご協力いただきたいと、ご本人に話したらオッケーしてくださったそうで。たぶん、私のほうから突然お願いしたら、受けていただけなかったと思います。おふたりのご縁があってのウルトラCによって、かなり画期的な設定が生まれたと思います（笑）。

——現実とパラレルワールドなのだなと思って。〝くらもちふさこがいない世界〟ということですもんね。

勝田：そうですね。『いつもポケットにショパン』の作者は秋風羽織（豊川悦司）ですからね。

——ということは、ずっと気になっていたのですけれど、原田知世はいる世界なんですか？　いない世界なんですか？

勝田：これはですね……さすがにご本人が俳優として、別の人物を演じているので、〝いない世界〟です。ただ、ご本人の歌はもちろん出ないですが、あの時代の歌は出ます。けっこうキワ

キワいっています（笑）。（第3週で原田知世がカバーして歌った元曲「守ってあげたい」が出てきた）

――一人二役（原田知世と萩尾和子）というふうには。

勝田：いやいやいや（笑）。

――ともあれ、原田さんに限らず、みなさん、すばらしいキャスティングです。北川さんのドラマに出ている方がキャストにいらっしゃいますよね。

勝田：原田知世さん、谷原章介さん、豊川悦司さんあたりはそうですよね。

――この記事が載る頃、豊川さんが登場していますが、くらもちふさこさんという女性が描くものすごくかっこいい男の子に、女の子が恋する話を、あの豊川さんが描いているかと思うと（笑）。

勝田：あの風体の人が描く、その意外性のおもしろさですよね（笑）。

――現場ではどんな感じですか。

勝田：すごくおもしろいですよ。現場に、くらもちふさこさんの絵が大きな壁紙になっていて、その絵を背負って、秋風が漫画について語るという、ものすごくシュールな場面がありますが、その説得力ははんぱじゃないです。豊川さんが持っている説得力と、くらもちさんの絵が持っている説得力が両方乗っかってくるので。これはなかなかすごい場面になりました。

――鈴愛が描く漫画を、なかはら★ももたさんが担当していますね。

勝田：そうなんです、お知り合いだそうですね。

――はい。『あまちゃん』のファンブックを通してお知り合いになって、その本に参加した人たちで久慈へ旅行に行ったとき、親切にしていただきました。

勝田：ずっと朝ドラをフォローしていただいている漫画家さんなんです。

――それがオファーのきっかけですか？

勝田：いえ、これまた北川さんと昔からのお知り合いで、紹介して頂きました。すごく画力があって、しかもその絵がものすごく可愛くて、鈴愛が描きそうな絵だなと感じました。

――他にも、アシスタント仲間たちの描く絵を頼んでいる方もいるのですか。

勝田：裕子（清野菜名）とかボクテ（志尊淳）が描く画は、こちらで見つけた方々にお願いしています。

――手が映る方はまた別の方が。

勝田：漫画指導の方に、手の部分はお願いしています。

――そう聞くと、確かに通常の撮影よりも手間がかかりそうですね。さて、主題歌の星野源さんは、『ゲゲゲの女房』つながりだそうですね。

勝田：俳優として出演していた星野さんが打ち上げのときに聞いた歌がすごくよくて、心に残っていたんです。その後も折に触れて、彼の楽曲は聞いていましたが、最近のご活躍ぶりを見ても「今でしょ」と(笑)。タイミングとしてほんとにいいタイミング、満を持してじゃないかなって思っています。

――『ゲゲゲ』の頃の星野さんのエピソードはないですか?

勝田:あのときはほんとに大人計画の俳優さんという印象で、それだけに、お芝居がすごく巧いと思って見ていました。あと、温厚で謙虚な方でした。普段、すごくノーマルに見えただけに、打ち上げのときにギター1本で3曲歌ったギャップがいっそう印象に残ったのだと思います。

――漫画も音楽も、その他、折につけ出てくる80年代カルチャーを集めることにも力を入れていますか。

勝田:現場で働くスタッフも若返っているので、80年代のことをリアルに知らない人も多いです。20代の子はもちろん、芽郁ちゃんみたいな18歳ぐらいの子だと、黒電話のかけかたすら知らなかったりして。そのため最初、時代考証を最初つけようと思ったところ、80年代ごろの時代考証を専門にやっている人はいなくて、家電の専門家など、ある特定のジャンルの専門家に個々に聞いて回るしかありません。スタッフが手分けして、ジャンルごとに調べています。

――このアイテムはかなり貴重ですというようなものはありますか。

勝田：懐かしいものがいろいろ出てくる中で、私の当時の体験として琴線に強く触れたのは、やっぱり、〝テレビの歌番組をラジカセで録音する〟ことです。そのシーンがまた、おもしろいんですよ。北川さんがすごくうまく料理してくださって（第9回で、テレビを録音していたら、晴と鈴愛が喧嘩をはじめ、その声が録音されてしまう）。そういう、ちょっとした当時の日常みたいなものを、クスッと笑える感じでいろいろ取り入れてくださっているので、視聴者の皆様に楽しんでいただけたのではないかと思っています。

――勝田さんもテレビをラジカセで録音していました？

勝田：してました（笑）。

――ちなみに、勝田さんが学生の頃などに影響を受けたテレビドラマや映画はありますか？

勝田：ＮＨＫのドラマだと山田太一さんの『男たちの旅路』（１９７６年～１９８２年）とか、硬派な社会派のドラマが好きでした。あと、向田邦子さんのドラマとか。ああいうのを作りたいなと思ってドラマ部に入りました。〝朝から楽しく観られることが大事な〟朝ドラ制作にたくさん関わっているにもかかわらず、意外と思われるかもしれませんが（笑）。

——でも、そういう別の側面のある方が作るところにまたおもしろさを感じます。

勝田：そうなっているといいんですけどね。

——朝ドラや大河ドラマは「やりたいです」と希望を出すものですか？

勝田：題材にもよりますが、「これやりたいです」と言って手をあげるというよりは、やっぱり朝と大河ってドラマ部にとっては米の飯というか……つまり、それをしっかりやってこその他のドラマであり、ドラマ制作部が一丸となってしっかり取り組んでいかないといけないという認識があるんです。

——ということは、誰もが必ず一回は通る道ですか？

勝田：ところが、中にはまったくやらない人もいます。こればかりはほんとにたまたま巡り合わせで。かなりのベテランの方が、初めてやるという場合もあるんですよ。

——話を戻しまして、『半分、青い。』は、現代劇ではないけれども、いわゆる武士がいるほどの時代劇ではない。中間というか、近代劇です。40代、50代ぐらいの視聴者にはど真ん中で、激しく反応していますが、もっと上の世代はどう捉えるとお考えでしょうか。

勝田：最初にお話したように、すごくオーソドックスなホームドラマにもなっていて、当時の流行はドラマの要素のひとつでしかありません。家族のみならず、序盤は高校生の青春模様で、北川さんの名人芸で、見ている人が自分の若いころを思ってキュンとしたり感情移入できるように描いてくださっています。家族、青春、恋……など誰しもが体験することがしっかり描かれていれば、どの年代の方にも楽しんでいただけると信じています。

——朝ドラは、視聴率も高く、視聴者からの注目度が高いですが、その視線に常にさらされるご心境はいかがですか?

勝田：よく「プレッシャーですか?」と聞かれますが、正直なところ、私は、数字は気にしていません。いつまでも20%以上という状態が続くわけもないというか、続いてくれたらうれしいですけど、続かないかもしれません。だから、そこに固執して、朝ドラでこんなことをやったら嫌われちゃうかな……と考えるよりも、新しいものを提示していくことや、見た人がいつまでも心に残るようなものを考えていくことが大事だと思っています。

――オーソドックスに「今までの感じをやっていこう」と思うタイプの方と、ちょっと違うことに挑もうという方とがいるんですかね。

勝田：自分のところでこけさせたくない、と思う方も人もいらっしゃるでしょうけれど、守りに入っていれば数字がついてくるかというと、たぶんそういうことでもないと思うので……。まずは、恐れずに、あえて踏み出してみようかな、くらいの気持ちでやっています。結果、たくさんの人に見ていただけたらこれほどうれしいことはありませんが。

――半分くらいまで収録しているということでしたが、だいたい最終回の決着点みたいなのは見えているんですか。

勝田：決着点は最初から見えていますが、ただその間をどう運んでいくか、今まだ引き続き、北川さんとやり取りしている感じです。

――漫画家を諦めて岐阜に帰って、そのまま岐阜での物語になりますか。

勝田：そのへんはまだ秘密です（笑）。

――最後は、回り道したけれど、律（佐藤健）と……、みたいなことなのでないかと想像しますが（笑）。

勝田：……そのへんも含めてお楽しみに、という感じです（笑）。いまはまだ漫画家編までしか情報を出していませんが、その後またいくつかステージがあるんですよ。まだ隠し球がいろいろあるので、後半またいろいろ楽しみにしていてください。

――それはラブ部門で？　それとも仕事部門で？

勝田：両方です。

【取材を終えて】

私は、朝ドラの女性プロデューサーに朝ドラに関する取材をしたのが初めてだったが、女性のドラマを女性プロデューサーと脚本家が作ることの良さを感じた。もちろん、女性と単純に一括りにするものではなく、勝田夏子さんという個性だと思うが、思慮深く語りながらも、新しくて印象に残るドラマを作りたいという強い意欲は隠しようもなく、びしびしと伝わってきた。メガネもシャツもさりげなくブルーで、そういうおしゃれな感じもすてきだ。女性が作った女性のドラマ『半分、青い。』の気持ちよさは、北川悦吏子さんの力ももちろんだが、勝田さんの本作への向き合い方も影響しているのではないかと感じた。

（初出：「otocoto」２０１８年４月30日、５月３日）

『半分、青い。』 156粒のビーズのネックレスは誰とも違うオンリーワン

2011年7月7日、つくし食堂で、そよ風ファンのお披露目パーティーが行われる。出席者は、カンちゃん（山崎莉里那）、晴（松雪泰子）、宇太郎（滝藤賢一）、草太（上村海成）、里子（咲坂実杏）、大地（田中レイ）、弥一（谷原章介）、健人（小関裕太）、麗子（山田真歩）、ブッチャー（矢本悠馬）、菜生（奈緒）、満（六角精児）、富子（広岡由里子）、木田原五郎（高木渉）、幸子（池谷のぶえ）、ボクテ（志尊淳）、正人（中村倫也）とずらり。

取材中、鈴愛（永野芽郁）は、そよ風のファンの名まえの変更を思いつく。その名は……マザー。母親への思いを託したものだった。

そよ風ファンの取材に来た地元の新聞記者は、こばやんこと小林（森優作）だった。高校時代、鈴愛の初恋というか初デートの相手である。

扇風機をつくった鈴愛に「回るものが好きでしたね」と指摘するこばやん。

ぐるぐる回るものが表すドラマのモチーフ

「エキレビ！」レビューでは第40回から、鈴愛のまわるもの好きに注目していた。

鈴愛はカケアミを描いたコマ（くらもちふさこ『チープスリル』3巻に出てくる）はグルグル円になっていた。永久機関、ゾートロープ、グルグル定規、拷問器械、はじめて描いたカケアミ……とグルグル回るものに縁がある、鈴愛。彼女のハンディキャップである、耳にも蝸牛という部位もあるし、それがある内耳（平衡感覚を司り、そこに疾患があると回転性目眩が起こる）は〝迷路〟とも呼ばれているそうだ。なんとなく、ぐるぐるが繋がった。律と正人の偶然の再会、律と鈴愛のおもかげでの出会いも、ある意味、ぐるぐると縁がつながっていることである。ぐるぐるつながりだったら、ナワアミのほうがベターだったかもしれないが、くらもち漫画でちょうどカケアミで円を描いているカットを見つけてきたところはすごい。

（「「半分、青い。」40話。発見、鈴愛はぐるぐるしたものと縁がある」「エキレビ！」2018年5月18日）

こばやんの台詞は「くるくる」になっていたが、回想シーンの鈴愛は「ぐるぐる」と言っているのと、第11回で弟・草太が鈴愛にプレゼントした「グルグル定規」の名まえからも、レビューでは「ぐるぐる」に統一した。

第40回での指摘後、100円ショップ篇で、元住吉（斎藤工）の〝かたつむり（元住吉の監督作『追憶のかたつむり』）〟が登場し、モチーフとして渦が意識されていることは確信につながったものだ。また、こばやんとデートした明治村には「蝸牛庵」という名の建物（やどかりのように幾度となく住まいを変えた幸田露伴の家のひとつ）があり、彼が鈴愛と渦の関連性を指摘するのは、最適な人物であると考えられる。彼はぐるぐる回り道することなく「初志貫徹」して新聞記者になった。このドラマのなかでは珍しいブレない人物という点もおもしろい。

それはともかく、こばやんは本来結ばれるべきだった鈴愛と律（佐藤健）を最初に引き離した人物である。鈴愛がこばやんとデートするとき、律はもやもやした気分を持て余していた（第18、19回あたり）。こばやんは、一瞬の気の迷いとはいえ「僕が守ります」と鈴愛に宣言までしている。

あれから20年以上の時が経ち、鈴愛と律は、各々、恋、結婚、子ども誕生、離婚などを体験し、回り回って、最終回。第155回では律が「俺の生まれた意味はそれなんだ、あいつを守るためなんだ」と確信を語っていた。「リツのそばにいられますように」と鈴愛は短冊に願いを書き、律は「鈴愛を幸せにできますように」と大団円を迎える。

佐藤健の「俺でいいの」のトーンがまたキラートーンであった。「律しかだめだ　私の律は

律だけなんで　ひとりだけなんで」などと鈴愛の言い方はぶっきらぼうではあるが、いろんな人に目移りしたがオンリー・ユーということであろう。

ふられた正人にも涼次にも「やり直さないか」と言われ断って、こばやんにも再会したのちの、律。律儀（相手が律だけに？）というか、負けっぱなしじゃいられない性分というのか、今が一番な感じにこだわる気持ちもわからなくはない。

最後の最後、律が鈴愛に、雨の音がきれいに聞こえる傘をプレゼントする。晴、鈴愛、カンちゃんの３人で傘を差すと、きれいな音が鳴ってきて、世界は美しい青に変わる。

この傘は、高校卒業するときの会話（第29回）を律が覚えていたという流れになっている。

鈴愛「律、左側に雨が降る感じ、教えてよ」

律「傘に落ちる雨の音ってあんまきれいな音でもないから　右だけくらいがちょうどいいんやないの」

第29回のレビュー（「エキレビ！」２０１８年5月5日）で、この鈴愛の台詞は渾身の告白じゃないかと書いた。それを未成熟な律はかわしてしまったが、これまた時を経て、愛し方がわからないと悩みながら、ついに、彼なりの愛の表現を示すことができたのだろう。彼は愛し方がわからないのではなく、自分が誰を本当に愛しているのかがわからなかったのだ。

なぜなら、ドラマがはじまった頃、佐藤健がインタビューで「恋愛するタイミングを逃してしまった2人であって、お互い、好きなんだろうけれど、あまりにも小さい時から一緒にいて、好きなことに気付けなかった。オトナになって離れてから気づくような関係で（後略）」（「スポニチアネックス」2018年4月15日配信記事より）と語っていたから。佐藤健は早くからドラマの核を語っていたのである。

かくして、第156回、半年（ドラマのなかでは40年）かけて、ふたりは収まるところに収まり、巡り巡って運命の人と結ばれるロマンチックで多幸感あふれる物語としてまとまった。

以前、田中健二チーフディレクターにムック本の取材をしたとき、七夕生まれのふたりだから、離れ離れになった織姫と彦星のように巡り合うのだと聞いた。

また最終回放送後、博多華丸が土曜日で『あさイチ』の放送がないため、Twitterで朝ドラ受けをして、そこで、こどもの頃の糸電話した川は七夕と関わっていたのではないかと解釈していた。

織姫と彦星は毎年毎年ぐるぐる出会いと別れを繰り返している。彼らは〝雨〟が降ると会えない。その雨という障害を乗り越えて、ようやくふたりは一緒になったのだ。

蛇足ながら、半分、辛い。

お別れは気持ちよく終わりたいが、どうにも納得いかない視聴者もいるだろう。なにしろ、これほど激しく賛否が分かれた朝ドラも近年ないのではないか。エキレビの編集長はこのドラマが大好きだった。

ここからは、きれいに終われない人に向け、ちょっと辛口でいきます。

漫画をもう少しうまく使ってほしかった

めぐりめぐって結ばれる物語は鈴愛がはじめて描いた漫画「神様のメモ」で描かれたことだった。ボクテが気に入って自分でも描いてみてうまく描けなかった。そして、もう一度描いてみたいとこだわっていた漫画だ。この漫画について最後、触れなかったのは、最終週に詰め込みすぎて尺が足りなかったのか、なんだかもったいないような。

もっとも視聴者は漫画のような終わり方を予想していたから、あえて出さなかったのかもしれない。

いずれにしても、最初にわくわくさせた〝漫画〟というモチーフは、師匠・秋風羽織（豊川悦司）と、親友・ボクテとユーコ（清野菜名）との出会いのための仕掛けに過ぎず、そう思えば漫画に関する描写の薄さも納得だ。

秋風がユーコのために描いた『A-Girl』の続編も台詞だけでどんなものかわからない。ボクテの再トライ作も見たかった。

もう少し漫画を小道具としてうまく使ってほしかったと思うのは漫画が好きな人だけだろうか。

唯一、漫画が功を奏したのは、北川悦吏子が昔から目をかけてきた漫画家のなかはら・ももたが鈴愛の中の人（劇中絵を担当）となり、スピンオフ漫画『半分、青っぽい。』を実際に上梓、ヒットさせるという昇華のしかたをしたことである（これは辛口ではなくいい話です）。

良くも悪くも星野源だけ浮いていた気が

脚本家セレクトの劇中使用曲を集めたアルバム（『NHK連続テレビ小説「半分、青い。」ソングブック すずめのうた』）も出て、音楽劇のような側面もあったドラマでありながら、劇中で星野源の主題歌（「アイデア」）が意外と効果的に使用されることがなかった。

最終回は後半に過去を振り返る流れからそのままラストシーンまでかかっていたが、いわゆる主題歌でここぞというとき大音量で鳴らして盛り上げるようなトレンディドラマ手法は各話ほぼ採っていない。

毎日はじめに必ずかかることもあって、15分の短いドラマでは、クライマックスにまたかけるのも難しいのかもしれず、驚くほどこの主題歌だけ独立したものに感じられた。むしろそれで特別感があっていいのかもしれないが、あとから発表された二番以降がシアトリカルでエモーショナルだったので、それをうまく絡めたドラマも見てみたかった。

やっぱり若すぎた

朝ドラでは女の一代記ものが多いため、若い俳優が登場人物の年老いるところまで演じることが多く、そのつど老けてみえないという意見が飛び交いつつ、そこはあたたかい目で見守るのがお約束。なかには、おお、なかなか巧いと思う俳優もいる。

それが今回、テクニックの問題ではなく、18歳（撮影時）と20代後半の俳優が40歳で子供がいて離婚も経験した人物の恋愛を演じるのはさすがに難易度が高すぎたと思う。

長年連れ添った夫婦はなんとなくゆったりしていればほのぼのするし、子どもと接するのは子どものおかげで自然に見える。ただ、こと恋愛表現に関してはリアルにその年代が如実に出てしまうものだと感じる。

永野芽郁と佐藤健が演じる等身大の恋愛場面としてはとても美しいが、いろんな体験や感情になっても脳内ではこんなふうに自分を美化するもの、と思うことにした。だからこのドラマでは、誰しも何歳の混ざった中年の恋愛の妙味には到達できないのは当然。

震災が急に出てきて驚いた

朝ドラは『マッサン』や『あさが来た』など主人公が長年連れ添ったパートナーを最終週で亡くすような物語だと最終週まで盛り上がり視聴率も高い。

一方、『べっぴんさん』や『わろてんか』など最終週以前に何かを成し遂げてしまって余生のようになると尻つぼみで視聴率も落ちていってしまう傾向が見られる。

『半分、青い。』が最終週で、扇風機の発明と歴史的災害と親友の死を描いたのは、最後まで視聴者が固唾をのんで見守るものにするためだった気がしないでもない。

扇風機(風)が震災を機に改めて必要とされたという深い関連性があるものの、あらかじめドラマの概要として紹介されていた扇風機の発明と並行して震災が描かれたことは思いがけないものだった。

2010年、2011年とドラマで描かれる時代が進んでいくにつれて、予感を抱いた人もいるかもしれないが、ふいに、あの出来事をつきつけられて動揺した人もいるだろう。

ネタバレに気を使ってのことらしいが、できたら、震災のことも描きます、と事前に心の準備をさせてほしかった。そうしたらまだ見たくない人は用心できたと思うのだ。

あの震災を思い出してしまう物語といえば、近年稀にみるヒット作となったアニメーション映画『君の名は。』（２０１６年）がある。奇しくも、舞台が『半分、青い。』と同じく岐阜のこの物語は事前にそのいっさいの情報を伏せ、劇場で初めて見ての衝撃という演出の成功作だ。互いの意識が入れ替わった少年少女のＳＦ恋愛ものと思って見ていたら、彼らをつなぐ運命に、あの未曾有の出来事を思わせるような災害が絡んでいたことがわかる。あくまでも描かれているのは想像上の災害である上、物語のなかで重要な出来事なため有無を言わせないものがあった。

すれ違いの男女を描いた元祖『君の名は』（昭和のヒット作、ただし朝ドラ化されたときは視聴率的には低く終わった）を現代ものにアップデートしたといえるところのある『半分、青い。』は、アニメの『君の名は。』の構造（ふいに起こる出来事の衝撃、現代日本人の共通体験を刺激し作品を見るものの身近に感じさせる）まで取り入れた野心作だったのではないか。

とすれば、もう少し練ってほしかったと思う人は少なくないに違いない。

朝ドラ史における位置づけ

朝ドラではこれまで、戦前、戦後、高度成長期、現代……と様々な時代を描いてきた。『半分、青い。』ではバブル期を描くことも注目点のひとつだった。

高度成長を抜けバブルが来て浮かれまくった時代があっという間に終わり、昭和から平成になると日本は貧しくなった。

平成最後の東京で制作する朝ドラ（第100作『なつぞら』は平成の終わりに重なる）として平成の出来事を描写したことは、これまでは戦争が朝ドラに起こる最大の試練だったが今後は震災がそれに代わるその兆しかもしれず、今後、『半分、青い。』を参考に震災をどう描くかを考えていくきっかけになったとしたら、このドラマの存在意義もあるだろう。

オンリーワンのネックレス

「そよ風ファン」の商品の原案協力にバルミューダが抜擢されたきっかけは、バルミューダの寺尾玄社長が「ほぼ日刊イトイ新聞」で糸井重里と行った対談を脚本家・北川悦吏子が読んだことだという。

80年代、糸井重里がつくったゲームの名前は『MOTHER』。こんなふうに縁がつながっているとはびっくり。

ただここでは、晴役の松雪泰子の主演作『Mother』（2010年）を思い浮かべた人もいるだろう。次回『まんぷく』のナレーション・芦田愛菜も出ているので。

『半分、青い。』の第1週のレビュー（「「半分、青い。」6話。最初の1週間、これはいい朝ドラのはじまりだ」「エキレビ！」2018年4月9日）で、私は『半分、青い。』はいろいろなエピソードがビーズ細工のようにつながっていくと書いた。その見方は結局変わらず最後の最後で156個のパーツを使ったネックレスはくるりとつながったと感じている。でもそれは端正にパーツがつながったものではなく、パーツもちょっとお高い石から素朴なビーズまで様々で。当然、大きさは不揃いで、つながる間隔も違っていて、すこしいびつなネックレス。それがとても好きな人も、う～んちょっと私には合わないかなと思う人もいて。

でも、誰とも違うオンリーワンだった。

（初出：「エキレビ！」2018年10月1日）

第4章
『まんぷく』
おとなヒロインがもたらしたもの

2018年10月1日～2019年3月30日（全151回）
脚本：福田靖／制作統括：真鍋斎／プロデューサー：堀之内礼二郎／演出：渡邊良雄、安達もじり、保坂慶太、松岡一史／主演：安藤サクラ
あらすじ：昭和13年（1938年）の大阪。三人姉妹の末っ子・今井福子は、高等女学校卒業後、ホテルの電話交換手として働き始める。早世した父に代わり働きに出て自分を女学校に通わせてくれた長女・咲の結婚式のお祝いに特別な出し物をしたいと考えていた福子は、新型の幻灯機の噂を耳にし、その工房を訪れる。そこで出会った青年発明家・萬平と恋に落ち、結婚した福子は、浮き沈みの激しい萬平との生活の果てに、ついに夫婦でインスタントラーメンを発明する。

「私は武士の娘です」から「生前葬」まで
誰もが笑って語れるまろやかな朝ドラに

笑える朝ドラの発明

朝ドラを大まかに分けると『おしん』（1983年度）に代表されるシリアス路線と『マー姉ちゃん』（1979年度前期）に代表されるコメディ路線がある。前者は主人公の人生に太い軸があるものでテーマや心情をしみじみ噛みしめるもの、後者は主人公と彼女を取り巻く個性的なキャラクターたちの軽妙なやりとりを楽しむもの。

2010年代以降、8時00分開始になった朝ドラは『マー姉ちゃん』路線の開発に力を入れているように感じる。『まんぷく』もそのひとつであり、成功例といえるだろう。制作統括の真鍋斎はNHKドラマ・ガイド『まんぷく』で〝少年の頃、おもしろい連載漫画を毎週心待ちにしていたときのようなワクワクした気分で、原稿のあがりを待ち続ける日々です〟と語っている。

実際、放送された『まんぷく』は〝おもしろい連載漫画〟のようなムードがあった。日清食品の創始者でインスタントラーメンやカップ麺を発明した安藤百福とその妻・仁子をモデルにした物語。ドラマは夫婦の出会いからはじまって、クライマックスが世紀の発明・カップ麺の誕生だ。いつカップ麺が登場するか視聴者はワクワクしながら登場人物たちの言動を追った。戯画化されたキャラクターたちが親しみやすく、言動が適度に笑える。彼らが日々ドタバタを繰り返しながら、愛情深く支えあい、人の役に立つものを発明していく。大河ドラマや実在の人物の偉業をドキュメンタリー化する番組『プロジェクトX』のようなムードになりそうな題材で、実際に同番組で萬平さんのモデルである日清食品の創設者・安藤百福も取り上げられたことがあった。それがみごとにホームコメディ・ドラマになったのだ。

作家によるテーマ性の強いシリアス路線はとかくお硬い印象のあるＮＨＫの得意ジャンルであり、軽味のあるものは苦手なほうではないだろうか。その根拠は、以前、ＮＨＫの人気バラエティー番組『チコちゃんに叱られる！』の制作統括の水高満に行ったＮＨＫらしさについての取材で「ＮＨＫの番組でよく言われるのは「笑えない」ってことですね。笑いが少ないと」と聞いたことだ。少なくとも２０１８年当時、局員のひとりがそう自覚していたのである。ちなみにこの記事がヤフトピをとったうえ、「Yahoo!ニュース 個人」の月刊ＭＶＰもとった。「ＮＨＫらしくない」おもしろいチコちゃんと「ＮＨＫらしさ」への興味で多くのかたが記事をクリックしてくれたようだ。

――〝NHKだから〟というプレッシャー（笑）。そういう先入観は、視聴者にもあります。〝NHKっぽさ〟とは何だとNHKの方は思って番組を作っていらっしゃいますか。

水高：NHKの代表ではない僕には何とも言えませんが、『チコちゃん』に限って言えば、NHKのイメージ――NHKだから確かなことを伝えてくれるに違いない、情報は真摯に真面目に伝える、とかいうようなことをすごくいい具合に利用している番組だとは思います。それともうひとつ、NHKの番組でよく言われるのは「笑えない」ってことですね。笑いが少ないと。そういったNHKのイメージのすべての逆を行っているのが『チコちゃん』だと思います。

（「2018年『チコちゃんに叱られる！』に見られるNHKらしくなさ。ではNHKらしさとは何なのか責任者に聞いてみた」「Yahoo!ニュース 個人」2018年10月26日）

NHKの主軸を担う番組のひとつである朝ドラは、コメディが得意な宮藤官九郎による『あまちゃん』（2013年度前期）の成功によって、笑える朝ドラがあるという認識を世間に広げた。新たな視聴者層を獲得し、SNSで楽しむコンテンツとしてのポテンシャルが発見された朝ドラはその後、『とと姉ちゃん』（2016年度前期）でお笑い芸人もやっていた脚本家・西田征史を起用し、さらに笑える朝ドラを開発していく。2018年に制作された『まんぷく』も笑える朝ドラのひとつだ。

朝ドラコメディ路線をアップデートした福田靖

そもそも『マー姉ちゃん』は『サザエさん』という昭和屈指のホームコメディ漫画の作家・長谷川町子の家族の物語（原作は長谷川の自伝的エッセイ漫画『サザエさんうちあけ話』）であり、『サザエさん』の四季折々、家族の営みのなかにおもしろみを見出していくスタイルは朝15分のホームドラマ・朝ドラとの相性は悪くない。よってこの路線を定番にすることは理にかなっている。

宮藤や西田と比べると『まんぷく』の脚本家・福田靖は笑いが得意な脚本家という印象は薄い。月9ドラマ『HERO』（2001年、2006年、2014年、フジテレビ系）や大河ドラマ『龍馬伝』（2010年）などヒューマン・ドラマのヒットメーカーという印象である。その福田が『マー姉ちゃん』のような、けっして先鋭的な笑いではなくあくまで素朴な家族の笑いを見事に踏襲し2010年代にアップデートさせた。それだけでなく『マー姉ちゃん』にやや『おしん』路線も取り入れたハイブリッドになっている。そこが『まんぷく』の人気の要因のひとつであろう。

主人公の福子（安藤サクラ）とその家族による『マー姉ちゃん』路線と、福子の夫で発明家の萬平（長谷川博己）による『おしん』路線。DREAMS COME TRUEによる主題歌「あなたとトゥラッタッタ♪」からイメージできる夫婦が二人三脚で歩んでいく物語のごとく、ドラマの構造も二人三脚になっていた。

福子と実家の家族がわちゃわちゃしている一方で、萬平は苦労に苦労を重ね（逮捕3回が話題になった）、インスタントラーメンを発明する。

『まんぷく』が近年の朝ドラのなかで、朝ドラで好まれる要素をふんだんに盛り込んで、幅広い層が楽しめるエンタメに仕立てあげた秀作と成り得たのは、月9など大衆向け作品を多く手掛けた福田の素朴なユーモアとバランス能力によるところが大きいと感じる。

福田が口立てでアシスタントがパソコンに打ち込んでいく「口述筆記」スタイルで書かれた耳なじみの良いセリフとも相まって『まんぷく』は2010年以降の朝ドラで最もポップな朝ドラになったと言っていい。それはまるで、大衆に愛されるインスタントラーメンにも似た味わいだった。インスタントという言葉が若干蔑称のように思えるかもしれないが、断じて違う。「インスタントラーメン」「インスタントコーヒー」と「インスタント」はこの世に役立つ発明であり、多くの国民が恩恵に預かっている。気軽に手軽に誰もが享受できる庶民のためのもの。ラーメンもコーヒーも朝ドラも、大衆を満足させるには相応の才能が必要なのだ。

『まんぷく』の成功要素

『まんぷく』の成功要素を挙げてみよう。

1：国民的人気食ラーメン。日清食品の創始者でインスタントラーメンやカップ麺を発明した人物・安藤百福とその妻・仁子をモデルにした夫婦の物語。終盤、世紀の発明・カップ麺をつくる流れはワクワクした。

2：妻は専業主婦だが、夫の世紀の発明を内助の功で支え続ける。妻であるヒロインは、安藤サクラが演じ、親しみやすさを振りまいた。

3：撮影時、安藤は子育て中で、ＢＫプラザ（ＮＨＫ大阪放送局1階にある放送局広場）は託児所を完備し子育てしながら働く女性を応援することを表明した。これに影響された斎藤工は自身の映画の撮影現場にも託児施設を作ったと語っている（参考：「「当たり前の〝犠牲〟を見直す時」斎藤工さんが、撮影現場に「託児所」を作る理由」若田悠希による斎藤工インタビュー記事「HUFFPOST」２０２２年5月10日））

4：夫役は長谷川博己。渡辺謙に続く、次に大河ドラマ（『麒麟がくる』〈２０２０年〉主演が控える期待の演技派俳優として注目された。

5：萬平が3度も逮捕される展開。SNSで盛り上がる。

6：福子の3兄弟の夫が3人ともイケメン。NHKドラマ・ガイド『まんぷく』で3人の魅力を紹介するページ「こんな男とならトゥラッタッタ♪」も作られた。ちなみに執筆は筆者。はじめてドラマ・ガイドで執筆した。

7：塩軍団（萬平を助ける若者たち）の存在。15人ものグループ全員にフルネームがついていて、それぞれ見どころがある。これもガイドブックにキャラ紹介がされていた。3人の夫たちと合わせて「推し」ブームに乗っているように感じる。ほかにも、缶詰を福子に捧げる野呂（藤山扇治郎）や本物の白馬に乗った牧善之介（浜野謙太）、萬平を陥れる加地谷圭介（片岡愛之助）など愛されキャラが多数登場した。

8：福子の姉・咲（内田有紀）が幽霊としてレギュラー化。週末幽霊の『わろてんか』をさらにアップデートした形である。ただ、こちらも幽霊はあくまで、福子や母の空想の産物として描かれているように感じる（詳細は161ページの再録レビューをご参照ください）。『マー姉ちゃん』第1

30回で主人公（熊谷真実）の戦死した夫（田中健）が夢に出てくる場面がある。死者の扱いも『マー姉ちゃん』を引き継いでいるかのようだ。

ただ後半、やや変化が訪れるのはこういう理由からだった。

「『まんぷく』での内田有紀さんの役は、早い時点で亡くなってしまって他の登場人物の夢に出てくるようになりますが、亡くなっても夢として何度も出ることができてうれしいけど、欲を言えば、ほかの皆さんのように、私ももっといろいろな方々とお芝居をしてみたいです」と、ご本人から遠慮がちに言われたので、バレンタインデーの思い出シーンや、缶詰でおなじみの野呂さんと意外な組み合わせシーンを作ってみたら、ドラマが楽しく膨らみました」（筆者による福田靖インタビュー「ドラマづくりの理不尽はどこまで本当か。朝ドラ作家の自伝的ドラマ「書けないッ!?」の虚実を調査」「Yahoo!ニュース 個人」2021年3月6日）

9：「私は武士の娘です」。江戸時代の名残のある母・鈴（松坂慶子）が、その矜持を持ち続けていることの現れである口癖。ある種の時代錯誤がおもしろさと愛しさにもなり、このセリフが発せられるとすべてがリセットされる便利な役割も果たしSNSで盛り上がった。この口癖は、安藤百福の妻・仁子の母の口癖であったそうだ。福田はNHKドラマ・ガイド『まんぷく』でこの口癖に出会って「これでいける！」と思ったと語るほど、ドラマを牽引する重要なセリフとなった。

10：母の生前葬。朝ドラで必要不可欠の「死」。大事な人との別れをいくつも描いてきた朝ドラで初の「生前葬」は死というものの捉え方に新しい視点を作り出した。「生前葬」そのものは江戸時代からあるもので、決して多くはないが行っている人物も実在する。自らの死を客観的に捉え準備する「終活」が注目されるようになった近年、「生前葬」も徐々に一般化していくのではないか。明るくみんなで母を送る、このイベントによって『まんぷく』は最後まで明るく前向きなドラマになった。

民放ドラマに影響を与える朝ドラスタイル

NHKドラマ・ガイド『まんぷく』でチーフ演出の渡邊良雄は、「この作品は当初から、柔らかな「円」、「丸」、あるいは「球」といっていいかもしれませんが、それがビジュアルイメージでした」と語っているように、まろやかなイメージを貫いたドラマであった。野呂が福子のためにホテルから缶詰を勝手に持ってきても、加地谷が萬平を陥れても、萬平が何度も逮捕されても、どこか深刻にならず、むしろくすっと笑ってしまう。犯罪の描き方はさじ加減によって本気でいかがなものかと思ってしまうこともある。ほんの少しのさじ加減なのである。『まんぷく』では萬平さんが何度も投獄されることでSNSは盛り上がったが、野呂や加地谷を責める声は目立たなかった。
鈴が「私は武士の娘です」と言えば、福子が「萬平さ〜ん」と呼べば、萬平さんが「〜〜だぞ、福子」と力強く言えば、すべてが丸く収まる。全体的にまろやかなドラマで、老若男女が親しむことができた。リアリティーが決してないわけではないが、どこか漫画っぽい描写になっているため（幽霊がしょっちゅう出てくるところなども含め）、現実に引きつけ過ぎることなく視聴できたのだと思う。

余談ではあるが、『まんぷく』が放送されていた２０１８年の12月、日本テレビで月曜から金曜まで放送の朝の情報バラエティー番組『ＺＩＰ！』内で7時50分頃から放送される、芸人バカリズムによる10分間の朝ドラ『生田家の朝』がはじまった（全13回、２０１８年12月10日〜12月26日、プロデュースしたのは福山雅治）。朝ドラが好評でそのスタイルを他局でもということで、続編が翌年（２０１９年）も制作された。２０１７年にはテレビ朝日系で倉本聰による昼の帯ドラ『やすらぎの郷』が1年間にわたって放送され、２０１９年から２０２０年にかけて続編『やすらぎの刻〜道』が放送された。朝ドラ人気は民放のドラマ作りにも影響を及ぼしはじめていた。倉本聰は『風のガーデン』（２００８年、フジテレビ系）で主人公（中井貴一）の生前葬を描いている。こちらは『まんぷく』のように当人が企画したものではなく同級生が企画して主人公を驚かせるものだった。

では、以下は、『まんぷく』で話題になった「萬平さん」と「生前葬」と「最終回」に関するレビューを再録したい。

『まんぷく』第20回
萬平さん「おいで」長谷川博己の2大魅力

昭和19年（1944年）夏、戦況はますます厳しくなって、克子（松下奈緒）一家は疎開、秋になって東京にも空襲が来て、昭和20年、3月、福子（安藤サクラ）もついに疎開を決意する。

戦争が激化する中でも理性的な萬平

朝ドラの戦争描写がいやだという人もいるが、例えば、ベストセラーになった矢部太郎の漫画『大家さんと僕』の大家さんはNHKが好きで（書籍のプロフィールより）、矢部にはこのような談話がある。〝大家さんは8月が一番好きだと言っていました。理由は戦争の番組をたくさんやってくれるから。そして、大切な人たちは戦争に取られたくないともおっしゃいました。僕にとっても8月は特別な月になりました〟（2018年8月30日の「オリコンニュース」より）。大家さんが朝ドラを見ていたかわからないが、筆者の家のご近所のお年寄りは『べっぴんさん』の闇市描写などをなつかしく見ていると言っていた。こういう人も実際いるのだから、朝ドラには戦争描写も必要だ。当時を知らない人が増えたからこそ、いっそう力を入れて描いてほしい。

『まんぷく』第20回では、戦況がますます厳しくなり、こんなときこそ食べたいのに、親友たちと食べたラーメンの屋台も店じまいしてしまい、その親友たちも疎開していく。萬平(長谷川博己)は理性的に戦況を認識し、福子も怖くて疎開したいが、鈴(松坂慶子)が家を守ると譲らない。「おまえとお母さんは感情的になりすぎる、話が本筋からずれるんだよ」と萬平はたしなめる。女性は感情的、男性は理性的という類型的な描き方だと思う人もいるかもしれないが、男女関係なく、あくまでもキャラクターということで。朝ドラの主人公はたいてい感情で突っ走り、わちゃわちゃしているところを男性が困りつつも広く優しく受け止める図式も多いなか、夫がはっきり批判することですっきりした人もいるだろう。長谷川博己の喋り方がきわめて理性的で説得力がある。『まんぷく』が理性的であるのは、序盤で亡くなってしまう福子の姉・咲(内田有紀)の幽霊の描き方にも見られる。幽霊は近年の朝ドラ名物であったが、今回は、生きている者の願望の投影であることが明確に描かれた。鈴の見る咲は鈴のことを肯定し、福子の見る咲は福子のことを肯定する。『わろてんか』で毎週土曜日に主人公の亡くなった夫が出てきたのも、彼女が彼を通して自分と対話しているという意味合いだったと思うが、毎週幽霊が出て来て戸惑う人もいたようだ。『まんぷく』のような描き方をすると、すでに亡くなった人物が何度も出て来ても、受け入れやすいだろう。

理性的、でも色気も忘れない長谷川博己

鈴と福子が感情的だと言う萬平だが、子どもができないことを責められると言葉少な。「戦争には行かない　子どももつくらない　そういう人は非国民と呼ばれますよ」と鈴。国をあげて「産めよ　殖やせよ」の時代だったから。萬平は、憲兵隊につかまって拷問されたことによって身体が弱っていて、いつも腰が痛そう。腰をかばって歩く姿はお年寄りのようだ。鈴に責められて誤魔化して、「いい天気だ」とぼんやりつぶやくところは笠智衆かと思うほど。が、しかし、福子に腰をさすってもらって、その後、仰向けになり「おいで」と腕枕のような体制になるところでは、長谷川博己の色気が発揮され、女性の欲望を刺激するのであった。知性と色気、長谷川の二大魅力を福田靖、よくわかっている。色っぽい相手役といえば『カーネーション』（２０１１年度後期）の綾野剛、『あさが来た』（２０１５年度後期）の玉木宏などが思い出されるが、当時、綾野は30歳、玉木は35歳。長谷川は41歳。40代でも瑞々しい色気を発揮するとは空恐ろしい。『あぐり』（１９９７年度前期）で野村萬斎がブレイクしたのだって31歳の時だもの。長谷川の知性と色気で半年間、引っ張れるか、これからが楽しみだ。

（初出：「エキレビ！」２０１８年10月24日）

『まんぷく』第149回
『渡る世間は鬼ばかり』みたいな生前葬「待ってました」赤津登場

鈴の生前葬

齢80、いつ死んでもおかしくないから、生きている間に「ありがとう」を言いたいという鈴(松坂慶子)の意向で、生前葬が賑々しく行われた。〈ありがとう と伝えたくて〜♪〉「ありがとう」という響きに、去年活動を再開した、いきものがかりの「ありがとう」の歌い出しが思い浮かんでしまいます。克子役の松下奈緒がヒロインだった『ゲゲゲの女房』(2010年度前期)の主題歌です。

立花家に祭壇、棺が置かれ、鈴は棺の中に、遺影は忠彦(要潤)の描いた絵。立花家、香田家、神部家、岡家、小野塚家がせいぞろいして、『渡る世間は鬼ばかり』(橋田壽賀子脚本、TBS制作で1990年から2019年まで続いた人気ホームドラマ)のようでした。まず、死に装束を身に着けた鈴が挨拶し、棺に身を横たえます。「シュール過ぎる」と忠彦。それから、世良（桐谷健太）が弔事を述べます。それがこのドラマの振り返りになっており、最終週にふさわしい構成ですね。それから、敏子（松井玲奈）とハナ（呉城久美）。弔事を詠まれるたび、鈴が「ありがとう」とお礼を言うことが繰り返されたようです。塩軍団から鈴のお手伝いになった赤津裕次郎（永沼伊久也）が久々に登場。「赤津ー！」と鈴が元気よく名前を呼びました。ものすごく短い時間のサプライズ登場でした。

最後に克子、福子も挨拶することに。克子が涙ながらに、母への思いを語り、福子もまた……。世良に続いてドラマの振り返りとなるような思いを語りました。第１４８回の咲（内田有紀）の表情に続き、松下奈緒、安藤サクラが、突然、いわゆる朝ドラっぽい、いい娘の演技を披露します。俳優ってほんとうにすごい。求められるものにすぐに口調も表情も切り替えられるんですね。ふだんは母親のことを雑に扱う娘たちではありましたが、それは親しいからこそで、こういうときでもないとあらたまって「ありがとう」となかなか言えません。実際、死に際ですと意識も朦朧としまって感謝の気持ちを伝えるいい機会といえるでしょう。生前葬は、あらたてちゃんとした話ができなかったりしますから。あとで、もっと元気なときに話しておけばよかったと後悔しますから。

「朝ドラ」初めての生前葬（たぶん）

回想にもなるし、実際に亡くならないから、死を見たくない人にもやさしく、互いにありがとうを言い合う感動の場面にもなる。これもひとつの発明です。いいアイデアだからといって、毎シリーズやれないし、福田靖先生が、朝ドラの歴史に自分のハンコを堂々と押した瞬間と言っていいでしょう。『わろてんか』最終回の総集編寸劇に次いで、ここは大きく拍手したいと思います。なにより痛快だったのは、鈴のいい意味の復讐になっていたことです。彼女がみんなに「ありがとう」と言いたいということでしたが、やっぱりみんなが鈴に感謝を語るしかないわけで。これまで全然感謝されず、新商品のCMに出たいと言っても無視されてきた鈴が、ついに〝主役〟になったのです。この花道のために、いままで、邪険にされてきたのかもしれません。

それにしても、萬平（長谷川博己）が最後にした挨拶が興味深かった。信頼できる仲間がいる、家族、親族、福子……、「福子を生んでくれてありがとう」と福子ありきのお礼。世良には、彼と鈴とのダイレクトな関係性がありますが、萬平にとっては、どこまでいっても〝福子のお母さん〟なんですよね。ブレてないなあ、萬平さん。ほんとうに「世界はふたりのために」。

（初出：「エキレビ!」2019年3月29日）

最終回「行きましょう！　二人で！」

まんぷくヌードルを若者にアピールするため、歩行者天国で販売すると、大好評。こうしてまんぷくヌードルの売上は一気に上がった。萬平（長谷川博己）は福子（安藤サクラ）を連れて、世界の麺を食べる旅に出る。

ふたりの冒険はまだまだ終わらない。

元町の旧居留地、封鎖できました！

「レインボーブリッジ封鎖できません！」と言ったのは『踊る大捜査線』の青島刑事。「元町の旧居留地」は封鎖できました！ということで、歩行者天国がはじまるまでは、みんな大緊張。でも、蓋を開けたら大盛況。

歩行者天国、にぎやかでたのしそうでした。

ピンクのうさぎの着ぐるみがこどもに風船を配っていたのは、加地谷（片岡愛之助）が協力しているという裏設定？と思って見ましたが、はたして？？？

先日、久々に登場した加地谷の会社は、イベント制作の会社で、『トクサツガガガ』（2019年、NHK名古屋局で制作された、特撮好きのヒロインを主人公にした漫画原作のドラマ）に出てくるようなヒーローショーとか、着ぐるみ着て店舗の営業とかするときに人材を派遣しているのかなと。

ネットニュースによると、神戸元町の旧居留地を100メートル封鎖し、エキストラ250人を動員して、歩行者天国の様子を撮影したそうで、なかなか見応えのある画面でした。このニュース、（2019年3月）29日に「毎日新聞」ほか、さまざまな媒体から、翌日放送になる最終回の宣伝として、配信されていましたが、同じソースによる記事が、30日、最終回放送直後、「まんたんウェブ」で配信されると、「Yahoo!ニュース」のエンタメのアクセスランキングの1位になっていました。同じ内容のものがあちこちで出るなか、最終回直後にもってきた「まんたんウェブ」は狙ったと思います。ネットニュースを出すタイミングについて考えさせられました。こう書いたのは、劇中でまんぷくヌードルが売れたのも、いかに世の中の人に情報を届けるか、その出し方とタイミングがすべてであったと感じるからです。

若者にアピールするため、立ち食いがおしゃれというスタイルを、歩行者天国を使って提案したことが、テレビのニュースで映ったことで、全国に広がり、商品がバカ売れしたというふうにドラマでは描かれました。

歩行者天国でたくさんの人が１００円を高いと思わず気軽に買って食べた、という事実だけでは弱い。それをどれだけ多くの人に伝えるかが大事で、そういうときにテレビの力は大きい。「まんぷく」の時代、１９７０年代はとりわけテレビは強かった。いまだとネットですが、さりげなく、テレビの力を最後にアピールして『まんぷく』は終わりました。

あなたとトゥラッタッタ♪

60歳の萬平が、若者が飛びつく商品を考えついたということは尊いことだと思います。80歳過ぎても元気な鈴さん（松坂慶子）の存在も。高齢だからと年下の者たちから労われるのではなく、年齢関係なく、誰もが平等に、なんでも言い合えるというところが鈴さんの存在意義だったと思います。

「わたしはずっと萬平さんと一緒です」と福子に言われ、「うん」と頷く萬平の表情がおじいちゃんぽくて素敵でした。見た目もすっかりおじいちゃんぽく、長谷川さんはおじいさん俳優になっても大活躍しそうだなと思いましたが、対して世良（桐谷健太）は萬平より若い設定にしても全然老けませんでした。

世良とはラーメンを食べて語り合い、「大好きや！」と言われ、抱き合い、真一（大谷亮平）や神部（瀬戸康史）とは過去の回想をします。最終回に、長年萬平をひたすら支えてきた主人公の福子の回想はなく、真一たちの回想だったのは、福子と萬平には未来があるからでしょう。

ふたりは春になると世界旅行に出かけ、タイで仲良く辛い麺を食べている場面で終わります。この研究の旅が、のちの「カップヌードル トムヤンクンヌードル」「カップヌードル シンガポール風ラクサ」「カップヌードル チリトマトヌードル」などになっていくのでしょう（現実とドラマを混同しています）。調べると「インド風バターチキンカリー」なんてのもあるんですね。（2019年）4月8日には「カップヌードル 蘭州牛肉麺」が発売されます（この時期、日清食品ではこれらのカップラーメンが発売されていた）。

萬平のモデルになった安藤百福さんは90代まで現役で、宇宙食まで生み出されました。すごいバイタリティーのある方です。日清食品グループに栄光あれ！

現実とドラマを完全に混同している……わけでは決してなく、このドラマを通して、テレビのちから、そして、安藤百福というモンスター級の実業家の存在を知ることができたことはじつに有意義でした。

（初出：「エキレビ！」2019年4月1日）

第5章
『なつぞら』
歴代ヒロイン登場朝ドラ100作目

2019年4月1日～2019年9月28日（全156回）
脚本：大森寿美男／制作統括：磯智明、福岡利武／プロデューサー：村山峻平／演出：木村隆文、田中正、渡辺哲也、田中健二／主演：広瀬すず
あらすじ：戦争で両親を失った戦災孤児の少女・奥原なつは、父の戦友・剛男に引き取られ北海道・十勝の酪農一家・柴田家で生活することに。ここで生きていこうと必死で仕事を手伝うなつ。その姿を見て、剛男の義父で偏屈者の泰樹も次第に心を開き、なつに生きる術を説くようになる。やがて成長したなつは、馬の絵を描く少年・天陽との出会いや、生き別れの兄を探しに上京した時の漫画映画のスタジオ見学を通して、東京でアニメーターになる夢を抱きはじめる。

天陽くんと大地

様々な要素満載の朝ドラ『なつぞら』

『なつぞら』は朝ドラ第100作目ということもあってとても欲張りな作品だった。2種類ある番組宣伝用のポスターの1枚は登場する俳優たちのほかに酪農やお菓子や演劇の台本、絵画などじつに多くのお仕事アイテムがアイコンのようにあしらわれている。

物語は、日本屈指のアニメーション制作会社・東映動画を参考にして、アニメーションの制作の黎明期を描く物語で、広瀬すず演じるヒロインはアニメーターである。それにちなんでかタイトルバックが初の漫画的な絵柄のアニメーション（ジブリと深い関わりのあるスタッフが制作）で、本編にはレジェンドのアニメーターを想像させる登場人物がたくさん出てきた。

主人公の地元は北海道（東京生まれだが北海道で酪農を営む一家に引き取られる）の十勝で、広大な自然のなかでのロケも行われた。北海道出身の劇団ユニット・TEAM NACSのメンバーが全員出演することも話題になった。当初は安田顕、戸次重幸、音尾琢真がセミレギュラーでそのうち、森崎博之、大泉洋が出るのではないかと興味を引っ張りに引っ張った結果、みごと5人コンプリートされた。

主人公なつはアニメーターとして活躍するが、ポスターに載った酪農やお菓子作り、演劇や絵画などについても描かれたうえ、登場人物には過去の朝ドラヒロインが続々登場し100作記念作を大々的に盛り上げた。

これだけドラマを構成する要素が満載なのはSNSとの連動を意識したからだったと推測できる。視聴者が毎朝、Tweetするネタを投下するために様々な要素が膨れ上がったのではないか。時代は〝多様性〟を大切にする空気に満ちていて、それとSNSの相性は良かった。

『なつぞら』における多様な要素について書き始めたら、もうそれだけで一冊になってしまいそうなので、泣く泣くひとつに絞りたい。とても大事だと感じるひとつの要素――それは北海道の大地である。

3度あった印象的な大地の描写

『なつぞら』では印象的な大地の描写が3度あった。ひとつは雪の大地。第42回、なつ（広瀬すず）と幼馴染の天陽（吉沢亮）が真っ白な大雪原に寝っ転がりながら会話する。まるでスイーツ映画のようなエモい状況下、天陽が発した言葉は「おれは待たんよ」であった。

アニメーターにあこがれて上京を考えていたなつだったが、そうすると天陽と離れることになってしまう。なつと天陽は明確にしていないながらも互いに好意を抱いている。とくに天陽はなつへの好意をはっきり自覚していたが、彼女以上に地元で絵を描くことも大事にしていた。そして天陽が選択したのは「待たない」、つまり東京になつを羽ばたかせ、決して縛らないということだった。

「俺にとっての広い世界は、ベニヤ板だ」「なにもないキャンバスは広すぎて、そこに向かっていると、自分の無力ばかり感じる。けど、そこで生きている自分の価値は、ほかのどんな価値にも流されない」「どこにいたって俺となっちゃんは、何もない、広いキャンバスの中でつながっていられる」

なつと天陽が横たわる雪の大地こそ「なにもないキャンバス」である。やがてふたりは別れ、それぞれ結婚し親になるが、いつまでもこんなふうに白いキャンバスに横たわるような関係だった。なつは半身を北海道に置いて、東京に旅立つ。

北海道に残った天陽にはモデルがいる。十勝出身の画家・神田日勝である。絵を描くことを日々の生活や労働と地続きに捉え、農業をしながら絵を描き続けた。その絵のモチーフは馬や農具でそれらとともに生きているからこそそのリアリティーが滲んでいた。

芸術をやるなら東京に出ないとならない、東京がすべての先端であり中心であるという考え方が長らく私たちを縛っていたが、この原稿を書いている2022年、2020年からはじまったコロナ禍によって、どこにいても仕事ができる（リモートワーク）が当たり前になった。『なつぞら』放送時はまさか世界がこんなことになるとは思っていなかったであろうが、天陽のモデル神田日勝は生まれた場所で生み出す芸術を昭和の時代に実践していたのだ。

神田日勝は脚本の大森寿美男が二十代前半に知って影響を受けた人物である（詳細は183ページのインタビューをご参照ください）。だからか、モデルとなった天陽は出番はさほど多くないながら一本太い芯の通ったキャラクターとなった。言ってみれば、天陽は北海道の大地の象徴のようなものであり、なつが東京にいてもつねに天陽を身近に感じていることは、いつも北海道と共にあると感じていることだと解釈してもいいだろう。

天陽が息絶える緑の大地

ふたつ目の印象的な大地は、第134回。農業をしながら絵を描いていた天陽は働き過ぎがたたって体調を悪くしてしまう。最期まで絵を描き続け、遺作を仕上げると、じゃがい畑に向かい、そのなかで息絶える。土に手をいれてそのぬくもりを感じながら。

緑の大地に抱かれるように倒れた天陽をカメラが空から見つめるように映す。そのとき、飛び立つ鳥の声がする。音響スタッフの金本美雨が「十勝の空に高く高く、飛んでった……みたいな……」という意味でオオタカの鳴き声をつけたものだそうだ。

余談になるが、第133回で天陽が馬の絵を完成させたとき「ドクッドク」という心音の効果音が聞こえる。SNSでは「天陽くんの鼓動？」「馬に天陽くんの魂が宿った？」などなど様々な解釈が飛び交った。金谷いわく「実はあれはあぁゆう曲なんです。優ちゃんが生まれる時の為に発注した曲なので心音が入っていて、だから〝生命〟を感じるのだろうなと。人それぞれ色んな捉え方があって、自分が思っているよりも視聴者の皆さんは音で何かを感じてくれているのかもしれないなって思いました」（金本美雨さんのコメントは著者が行った取材記事より引用、「エキレビ！」2019年8月8日）

天陽の力強い叙情性。生きること、それ自体が芸術であるというような、神田日勝の、天陽の考えそのものを吉沢亮が全身で表現しきった。彼はそののち、大河ドラマ『青天を衝け』（2021年）の主人公・渋沢栄一役に抜擢されるが、第134回の何重にも筆を重ねたような厚みのある演技を見ればナットクである。幼少期、桑畑のある家に住み、実業家になってからも農民の眼差しを忘れることはなかった渋沢役に吉沢はふさわしい。

渋沢と共に天陽は吉沢の代表作のひとつと言っていいだろう。いや、天陽がなければ『青天』の渋沢はなかったと言ってもいいのではないか。国宝級イケメンとの誉れ高い、整った美しい顔をしながら、どこか庶民的な素朴さをもち続けている吉沢亮の個性もまた、神田日勝の目指した生活のなかの芸術であるように思うのだ。

北の大地に生きた天陽と泰樹

話を戻して、大地。3つ目の印象的な大地は最終回（第156回）。北海道に戻ってきたなつと祖父・泰樹（草刈正雄）が天陽の畑でじゃがいもを掘り起こしながら話をした後、ふたりで泥だらけの大地に転がって笑い合う。

「なつ、わしが死んでも悲しむ必要はない」

「天陽と同じじゃ。わしの魂も、この大地に浸み込ませておく。寂しくなったら、いつでも帰ってこい。お前は大地を踏みしめて歩いていけばそれでいい」

「それに、わしはもうお前の中に残ってるべ？　お前のなかに生きとる。それで十分じゃ」

〝天陽と同じじゃ〟と言うように、ここは第42回の天陽となつの会話を彷彿とさせる。北の大地に生きたのは天陽だけではなかった。泰樹もまたそのひとりである。むしろ天陽が泰樹の背中を見て生きてきたようなものであろう。

最終回の時点で泰樹は91歳。物語的には泰樹が亡くなり、残されたなつは哀しみを抱きながら前を向いて生きていく……という流れはひとつの理想であろう。実際、なつに遺言的なことを言ったあと、ひとり大地に抱かれ、眠るように……という場面もあったのだ。だが、そこはかなりさらりと描かれ、SNSでは寝ているだけと思った多くの視聴者が「亡くならなくてよかった」などとつぶやいていた。

ここまで来たら泰樹は生き続けないといけない。大地と共に逝くのではなく大地と共に生き続ける強い生命力の象徴であってほしい。天陽の分まで生き続ける、それが泰樹なのだ。

以上、3つの印象的な大地の描写を振り返った。前半、中盤、終盤と北の大地に身を委ねる登場人物を描くことで、「なつぞら」はこの広い大地の上に成り立っていることが示される。れっきとしたご当地ドラマであった。

北海道パワーを感じさせた朝ドラ

朝ドラではご当地性が大事である。主人公は地方に生まれ、東京に出て仕事をしたとしても故郷を大事にし、最終的に地元に戻る選択をすることが少なくない。地元の風景や地元の名物が登場することもお約束のようになっている。でもそのルールのようなものがルーティーンのようになってしまい、実際に地元で生きることに踏み込んでいなければ、地元のランドマークと名産を出すだけのPRドラマのようなものになりかねない。

『なつぞら』は前述したようにドラマを構成する要素が盛りだくさん過ぎた上、なつの職業がアニメーターであることで、どうしても東京が主軸になる。しかも、もともとなつは東京生まれで、戦争で焼け出され北海道に避難してきたという設定である。主人公と北海道の関わりをどう濃密でかけがえのないものにするか。その鎹のような役割を天陽が担った。彼となつがソウルメイトになることで、なつはどこにいても十勝と共にあると視聴者も感じることができたのだ。

泰樹の存在で北海道パワーはさらに強大になった。それからTEAM NACSの安田顕（菓子屋「雪月」の店主・雪之助役）と音尾琢真（柴田牧場の従業員・菊介役）の地に足のついた職人的な佇まいも一助になり（天陽の父役の戸次重幸は職人役ではなかったのでここでは省く）、雪之助の母・とよ役の高畑淳子には「肝っ玉おっ母」的なスケール感があった。彼らのように北海道の人々を演じる俳優に力があったため、終わって見るとどちらかといえばアニメーターのドラマというよりも北海道の開拓民のドラマというあと味の方が強い（アニメ部分も劇中オリジナルアニメを何作も作るなど手間ひまがかけられていた）。

ホームドラマである朝ドラで、地域の輪郭がこれほどくっきり描かれた作品は稀有であろう。これは大河ドラマやファンタジー大河など大作を手掛けてきた大森寿美男だからこそ描けたスケール感だったと思う。あまりにも筆致が骨太でともすれば天陽や泰樹の人生がメインの男の朝ドラになりそうなところ、広瀬すずは圧倒的なヒロイン感を放って、堂々とセンターに立ち続けていた。なつの夫・坂場（中川大志）も理知的で才能ある非常にいいキャラクターだったのだが、『なつぞら』はなつと天陽が広大なキャンバスに自分たちの人生を描く物語だったのだ。

『なつぞら』脚本・大森寿美男インタビュー

『なつぞら』脚本家の大森寿美男のインタビューを再録する。次第に体験者の減っていく戦争をどう伝えるか、などの試行錯誤が興味深い。

泰樹のラストカットはどう解釈したらいいか

——劇中アニメ「大草原の少女ソラ」は戸田恵子さんの歌に沢城みゆきさん。アニメーターには佐藤好春さん、才田俊次さん、石田祐康さん、語りが安藤サクラさんとものすごく豪華。そのうえ、千遥（清原果耶）の複雑な家庭問題も出て来て……。終盤、エピソードが盛り沢山でした。

大森寿美男（以下、大森）：最初から最後まで話の流れをだいたい計算して組み立ててきたので予定通りだったんですが、にもかかわらず、人物が膨らんでいったぶん尺が足りなくなってしまったという感覚はあって、そこは工夫しなければなりませんでした。それでも千遥のことは「家族」の話として大事な部分なのでしっかり描きたかったんです。

――時間が余って間延びするよりはいいですよ。では、最初から、後半まで構想が決まっていたんですね。

大森：『てるてる家族』（2003年度後期）では途中まで考えたところで、見切り発車的に脚本執筆作業がはじまって後悔したので、今回は全部最初から最後まで、1週間単位でざっくりとしたテーマというか流れみたいなものは決めてから入りました。ただ、クライマックスは泰樹さん（草刈正雄）の最期を見送って……と考えていたんですが、スタッフと相談して、はっきり死を描かないことにしました。

――台本を事前に読んだとき、泰樹のラストカットに『あしたのジョー』の最終回的な、生きてるの？死んでるの？みたいな印象を受けました。

大森：その前の畑のシーンで、なつはちゃんと泰樹の遺言みたいなものを受け取っているので、物理的にどこでどういうふうに息を引き取るかは問題ではないし、悲しみを強調させたくもなかったので、あえて描かなかったというのはあります。一番伝えたいことは、亡くなった人の精神を受け継いで生きていくこと。天陽くん（吉沢亮）の死の描き方もそうで、人が死んで悲しむ場面を印象付けたくなかったんです。

最後のナレーションはいつから考えていたのか

――最後といえば、最終回の内村光良さんのナレーションにはやられたと思いました。これは最初から考えていたんですか？

大森：そんなことはないです。毎回、「なつよ、～～来週につづけよ」はアニメーションの予告にあるような、ガンダムの「君は生き延びることができるか？」みたいな、なにかしら決めぜりふみたいにしようと思っていたけれど。それを逆手にとった「朝ドラよ、１０１作めにつづけよ」は究極のアイデアとして頭にストックしてはあったんです。それで具体的に最終回はどうしようと思ったときに、「未来に続けよ」じゃつまんないしなって。僕としては却下になってもよかったのですが、出演者の方々や内村光良さんにも気に入ってもらえたらしくて……。僕は無理をしないでと止めたんですよ、一応。言うタイミングが難しいでしょうし、どういう映像の上りになるかはわからなかったけど、たぶん、最後は「優しいあの子」が劇的に流れて終わるだろうから。あの曲の中でどうやって言うのか……。スタッフもそう思ったのか編集のとき入ってなかったんですよ。だからやめたのかなと思っていたら、やっぱり入れると。

――内村さんがコメディアンであることがここで生きた気がします。制作統括の磯智明さんが初期のインタビューで、100作目のプレッシャーについてマスコミが聞くと「もう101作も102作も発表されていますしね」というふうに笑って答えていらして（「『なつぞら』CPが明かす朝ドラヒットの裏側」「週刊女性PRIME」2019年5月23日）、その頃からもうこの締めを考えていたんじゃないかと今となっては思えます（笑）。

大森：でもあれも結構賭けですからね。好き嫌いもあると思うので。

――お話もちゃんとあったうえに、100作記念のお祭っぽい感じにもなったと感じます。

大森：そうなっていればいいいんですけどね……。確かに、何人もの歴代朝ドラヒロインの登場や、北海道出身のTEAM NACSが全員出演するところはお祭りのような雰囲気もありますね……（笑）。

――蘭子（鈴木杏樹）や亜矢美（山口智子）で1本の朝ドラが書けそうじゃないですか。富士子（松嶋菜々子）を主役にした開拓話だって書けそうです。光子（比嘉愛未）も。

大森：磯智明チーフプロデューサーが主役を張れる人ばっかりキャスティングするから。脚本家冥利に尽きました。

ドラマでにおいを描くこと

――話題性を狙ったもので終わらず、お話がちゃんと一本筋が通っているのは大森さんだったから。「家族」が軸になっていることを最後に「家族の一番だし」「人生の二番だし」と表したのは秀逸でした。あれも最初から考えていたんですか。

大森：二番だしは、料理人が書いた本を読んでいて、煮物の決め手は二番だしだとあったことから発想しました。だしがらに新たな材料を加えて、味の深みを出す。それを「風車」のおでんと絡めると、自然に、まるでこのドラマのテーマのようだと思ったんです。亜矢美さんの咲太郎を思う気持ち、なつの柴田家を思う気持ちに重なりました。それも、あの今では煮染めたような色の手紙の中の家族の絵、あの一番だしがあってのことだと。そう思うと人間はみんな二番だしの家族を求めて生きているようにも思います。

――「だし」といえば風味。一番だしの香りは格別で（二番だしは香りで勝負はしない）。その前に目玉焼きのにおいを吸い込むエピソードがあって、そこもつなげていたんですか。

大森：アニメで目玉焼きのにおいを吸い込むところは、アニメーターの方々のアイデアです。アニメをつくるにあたって、どういう絵が描けるか、または描きたいか、アニメのスタッフの方々と打ち合わせをしたときに出てきたものでした。それを「だし」と結びつけては考えていなくて、そこはたまたまです。ドラマでにおいを表現することは夢かもしれませんね。においまで届くように表現すること、それはとても大事なことのように思います。人間の感情にもにおいがあるように思いますし、いいドラマには、においがあるような気がします。

※ 台本を読むと、第一週には「上野の地下のすえたにおい」というト書きがある。酪農一家に生まれながら夕見子（福地桃子）は牛乳のにおいが苦手という設定だ。終盤、たまごのにおいが出てきて、最終週は「風と光で、夜明けのにおいを出そう」という坂場（中川大志）のせりふがある。このにおいは雰囲気ということでもあるだろうがところどころににおいが出てきた。

最近の若い俳優はすごい

――大森さんが演劇経験者だからか、演劇とアニメの共通点に着目したところも面白かったです。私は演劇とアニメの仕事を両方やってきて、アニメーターと俳優を何人も取材してきたので、このふたつを合わせてどう描くのかと興味深く見ました。アニメと演劇の本質に気付いてなつに両方やらせたんですか。

大森：脚本を書くにあたってアニメについて取材したとき、アニメーターは絵を描くときに、自ら動いて確認しながら描くことも当り前のようにあるらしいということと、あの時代、東映動画にいたアニメーターたちは「お楽しみ会」を開催しては、劇を作ってやっていたと知ったんです。演劇が好きなんですよ、みんな（笑）。紀元前から存在しているだけはあり、何かを表現することの原点はやっぱり演劇なんじゃないですかね。そして誰しも自分の体を使って何かを表現する欲求は少なからずあるんじゃないかな。僕もちょっと血迷って、芝居をやっていたこともあるからわかるんですよ。アニメーションを描く方々にもそういう欲求が備わってないと表現が広がっていかないだろうし、自然と演劇に興味を引かれていくものであるだろうと。じゃあどこでその接点をつくるかと考えたとき、当時、帯広農業高校で演劇が盛んだったという事実に行き当たったんです。

※なつのヒントになったアニメーター・奥山玲子さんも彼女について書かれた書籍などを読むと演劇が好きだったようだ。また『なつぞら』の放送と同時期に行われた高畑勲展の展示物のなかに「スタニスラフスキー」に言及しているものもあった。

——演劇をやっていた分、演劇のことは書きやすいですか。

大森：いや、逆に書きにくいですよ。無知なほうが知り得たことのみから発想して、こうだろうと思い込んで描けますが、なまじ足を突っ込んでいると、自分の体験まで掘り下げずにはいられなくなってしまって、エンターテインメントの域を越えてしまいかねないです。

——お仕事ドラマが好まれるといっても本格的過ぎると視聴者を狭めますよね。倉田先生（柄本佑）や雪次郎（山田裕貴）や蘭子（鈴木杏樹）が語っていた「演劇論」は大森さんの考えるものではない？

大森：まあ一面であってそれが全てではないです。時代が違うし、いろんな表現欲があっていいと思うし。ただ、『なつぞら』の時代の思想と密接に結びついていた演劇は面白そうですよね。

――先日、『なつぞら』で東洋動画社長・大杉を演じた角野卓造さんも所属している文学座（新劇の代表的な劇団）の取材をしたら、「テーマを語るのではなく、瞬間、瞬間のリアリティーを大事にしている」と教わりました。（「おしん」田中裕子「まんぷく」長谷川博己「なつぞら」北海道ことば指導。朝ドラ功労者達を繋ぐ「文学座」」「エキレビ！」２０１９年９月18日）

大森：文学座出身の中村伸郎さんが新劇で一番大事なものは「アマチュア精神」とよく言っていたらしいんですよ。それを雪次郎に言わせたら、「僕の考えていたことと同じで、大森さんは僕のインタビューかなにかを読んでくれたのかな」というようなことを山田裕貴さんが番組で言っていた（笑）。名優・中村伸郎と同じ考えであることに自信を持っていいよと思います（笑）。

※　中村伸郎のエッセイ『おれのことなら放っといて』の矢野誠一の解説に〝昨今の中村伸郎の演技に「てらい」というものが、まるでないことに感心するのだが〟とある。当人も〝私などいい加減な奴でゆき当たりばったりの芝居をしているのだが、好きなことが、酒や女ではなく芝居だったというだけのことである〟と述べている。

――すごいですね。

大森：演技に関する精神的な心構えを今の若い俳優たちは感覚でつかんでいるんじゃないですかね。吉沢亮さんにもそれを感じます。格好つけた芝居や〝自分〟を見せるための芝居をしない俳優が増えているような気がします。

――確かに、吉沢さんも山田さんも自意識が見えない気がします。

大森：昔は、もっと「俺が」という意識で出ていかないと埋もれちゃうよと思うこともありましたけど。今は、そこに自然にいるっていうことを一番大事にしている印象がありますね。

――「爪痕を残す」という言葉がありますよね（笑）。

大森：レミ子を演じた藤本沙紀さんや、松井役の有薗芳記さんは僕の昔から好きなタイプの俳優ですが、いつも爪痕を残そうとしてくれる気がします。僕も好きだから、彼らの爪痕を求めて書いたりするんですが、あまり本筋とは関係なかったりするので、たいていはカットされちゃうんですよね。

カットされてしまったこと、あえて書かなかったこと

――松井やレミ子たちが風車で新宿が変わってきたっていう話をして、映画館で演劇やっているというセリフが台本にはありました。アートシアター新宿文化（ＡＴＧ）とアンダーグラウンド蠍座のことかなと思いました。

大森：そうそう。でもそこもカットされちゃった。アングラ出身の有薗さんに「アングラが流行っている」というセリフをわざわざ言わせたのにね。尺調整でまずそういうところから切られちゃうんです。亜矢美さん（山口智子）がいなくなる回だから、彼女の話をたっぷりやったら尺が足りなくなることは分かっていたんですよ。でもあれは使ってほしかったなあ。

――そもそも面白いのが、そういう個人に寄せた出来事はカットされるにしても書いてあって、誰もが知っているオリンピックだとかオイルショックについては一切出て来なかったことです（最終回だけ北海道で当時実際に起こった台風が描かれた）。

大森：時事ネタをやる余裕がなかったんですよ。描きたいことが多すぎて。

――全国区の時事ネタよりも、中村屋（川村屋のモデル？）のカレーとか紀伊國屋書店（角筈屋書店のモデル？）とかムーラン・ルージュとか、その時代、新宿で生きた人にとって思い出深いもの、そういうところを大事にしたわけではない？

大森：そうです、登場人物の日常に関わる大事なところだけ書きました。わざわざ時事ネタに寄せてエピソードを作るやり方ももうやり尽くしているでしょう。とくに昭和はそういう作品がたくさんあります。『てるてる家族』もそうで、昭和30年代の時事ネタを拾って、そこから物語を発想するようなことは散々やったので、また同じことをやってもなあと思ったことは確かです。

家族の人数

――『てるてる家族』では、それこそ『まんぷく』（２０１８年度後期）がモチーフにした日清のラーメンを思わせるものが出てきました（ニコニコめん）。

大森：主人公の一家と安藤百福さんがたまたま同じ池田町で、線路を挟んで近所だった事実があって、もしかしたら会っていてもおかしくないなと思って描きました。

――『てるてる家族』は四人姉妹の物語で、『なつぞら』は三人兄妹の話。さらに育ての家族も三兄妹。登場人物がいっぱいでエピソードが盛りだくさんでしたね。

大森：最初に主人公の家族構成を考えたとき、あの時代に一人っ子ってことはないだろう。といって、大人数過ぎても描ききれない。子どもが3人ぐらいいるのが妥当であろうと設定しました。もう一つの主人公の家族といえる柴田家も同じ設定にしようと思っていたので、主人公のきょうだい3人が生き別れになったことで、3人の人生に関わる人たちが増えてしまった。かつ、アニメの仕事がまた大変で、2～3人で作れるものではなく大人数が必要。そうしたら、どんどん人数が増えて、その人数分の人生を考えると描きたいことが増えてしまったんです。

――本当の家族、育ててくれた家族、みんな成長して結婚して子供ができて、さらに人が多くなり。朝ドラではやっぱり結婚して子どもを産み育てるところまで描かなきゃいけないものなんですか。

大森：若い女優がお母さんまでやることも朝ドラらしさかと思い、それも避けずに描いてみようと、広瀬すずさんの場合、40歳ぐらいまでは演じてくれるんじゃないかと思って描きました。

奥山玲子さんは「モデル」ではない

――そもそもは戦災孤児の喪失と再生の物語で、アニメーションは主人公の生きる支えということですよね。

大森：僕が子供の頃に見ていた70年代頃のアニメーションにはみなしごものが多かったことに気づいたとき、見る側なのか作る側なのかはわからないけれども、時代の空気として孤児を身近に感じる人がたくさんいたからだろうと思ったんです。当時は子供だったから、そんなことは意識せずに、単純に感動して見ていたのですが、大人になって改めて、そういうアニメーションを作った人たちの精神のようなものを描いてみたいと、孤児のヒロインが黎明期のアニメーションと出会うことにして、なつが、当時、実際、活躍していた女性アニメーターの草分け的存在・奥山玲子さんのような立場になったらどういうふうな反応をするかという発想で話を考えました。奥山玲子さん自身を描くつもりではなくて、当時の女性アニメーターの参考例として旦那さんの小田部羊一さんに取材させて頂いたんです。

――モデルかモチーフかというのは朝ドラではしょっちゅう話題になります。『なつぞら』では「ヒント」という言葉が使われて、ますます実在の人物と距離をとってることを感じました。有名な東映動画、日本アニメーションなどの制作会社や作品、そこで活躍した人たちの偉業を参考にしたことで、注目度が高かったでしょう。

大森：故人である奥山さんについては、旦那さんの小田部さんに取材して、そのエッセンスは入っています。例えば、レミ子は女優が少年の声をやるようになった走りの人物として描いていて、野沢雅子さんや小原乃梨子さんがモデルなのか？という声もありますが、特定のモデルはいません。当時のそういう方々の要素を取り入れたオリジナルの人物で、アニメーターもみんなそういう感じです。

一面的な「悪人」は書きたくなかった。でも……

——奥山さんのことを書いた本や記事を読むと会社の待遇改善などに積極的に取り組んでいたとあります。視聴者的にはそういうふうに登場人物が適度に苦労をした上でいいことがあるという流れを求める傾向がありますよね。

大森：ちょうど『おしん』（2019年4月から2020年3月にかけてBSプレミアムで再放送された）という物差しを突きつけられて、おしんの苦労と比べたらどうなんだみたいなね（笑）。最近の朝ドラでは不幸は除外したい要素なんですよ。いや、朝ドラに限らずかな、日常がしんどいのにドラマまでしんどいものは見たくないという反応があるので、スタッフ側は排除しよう排除しようとする。暗いほうにいかないようにいかないように、早く明るくしましょう、早く前向きにしましょうみたいに。ところが、今年の空気は『おしん』のせいかわからないけれど、潮目が変わってきているような気もします。

――よく主人公が光だとして影になる人物を描くやり方がありますが、主人公に立ちふさがる悪い人がほとんど出てこないのもそのせいですか。

大森：それも、『なつぞら』に限らず、最近の朝ドラの傾向かもしれません。といって、記号的な悪者を描いて、勧善懲悪的に簡単に悪が駆逐されるという展開に進むのもねえ……と思いますし。

――そういうのは書かなくていいと思います。

大森：人間くささを出したいと思うんですよ、どの人にもね。現実にいるような人間味を出したいと思うと、どうしても両面描きたくなっちゃうんですよね、いいとこと悪いとこと、たとえ悪い人でも一瞬でもいいからかわいげみたいなものがないと。日常では、この人、嫌な人だなと思うと、もうそういうふうにしか捉えられないっていうコミュニケーションはたくさん存在していますが、俯瞰して見たら決して嫌な部分だけじゃないわけでしょう。むしろ、ドラマだからこそ、ひとりの人間の多面性を描きたいですよね。

――それは仲さん（井浦新）が語ったキャラクターの描き方に近いですよね。大森さんの描きたいことなのかなあと想像して見ていました。

大森：無意識にそういう気持ちが出るんだと思うんですよね。小田部さんに取材したとき、キャラクター検討会をやって、仲さんの参考にさせてもらった森康二さんの描いた悪役キャラを見たら、ただ怖い顔をしたいかにも悪役ふうなものとは全然違うものだったそうです。悪役なのにすごくお茶目で、多面性も奥行きもあるキャラになっていてすごいと思ったという体験を聞いて、それをやりたいと思ったんですね。やっぱりどのジャンルでも、面白い物語で深みを与えようと思うと、同じところに行き着くのだと思います。いかにも悪人顔した単なる悪役を出しても、それだけで終わっちゃう。とはいえ、少しは「いびり」もあったほうが良かったのかなあ（笑）。

※『おしん』もさすがに佐賀の嫁いびり編では視聴脱落する人も出ていた。

――「無理して笑わなくていい」とか「堂々としてろ」とか最初に泰樹に言われて、なつは媚びないし、わりと堂々としていましたが、ちょっと弱い部分も人は見たいものなのでしょうか。

大森：かつて大島渚が、主人公の被害者意識を描くことは、一番卑しい表現だというようなことを言っていて共感したことがありました。僕はそれをいつも意識しています。同情を強要するなんて一番安い行為だと思いながらいつも書いているんです。共感と同情は違うのに、この頃は混同されている気もしますね。

――広瀬すずさんの表情がシンプルな喜怒哀楽に収まらないところがあります。

大森：不思議な魅力のある方ですよね。前向きに元気にはつらつと爽やかな女の子もできると思うけれど、それだけじゃないものがにじみ出ちゃうというか、奥深いものを描きたくさせるなにかがある。

〝なつぞら〟に込めたもの

――今の朝ドラでたくさんの視聴者たちから求められていることを気遣いつつ、ご自分の信念も大事にすることはまったく大変な作業ですね。

大森：今の朝ドラって、お客さんを呼ぶというより、いきなり、すでにお客さんが満員の大劇場に立ち、虎視眈々としているお客さんを帰らせないようにしなきゃいけないみたいな感じがします。このプレッシャーは『てるてる家族』のときには感じなかったし、ほかの映画やドラマでもないかな。今の朝ドラならではの感覚のような気がします。

——今回、また朝ドラを書いてくださいと言われたときはどういうお気持ちでしたか。

大森：最初はごく普通に朝ドラをもう一回やってみようと思っただけで、たまたまそれが100本目だったのですが、あとからどんどんプレッシャーが（笑）。

——改めて。『なつぞら』というタイトルですが、磯さんはガイド本などで十勝の空について語られていました。でも最後まで物語を見ると、終戦記念日8月15日の空のイメージも含まれているのかなと思ったんです。

大森：……やっぱりそれは浮かびますよね。最初は漢字だったのが平仮名になったことで、いっそういろいろなイメージが託せるようになったと思います。

戦争をはじめとして体験してない歴史をどう描くか

――今期、『おしん』再放送と『やすらぎの刻～道』（テレビ朝日系）と戦時中のエピソードが出てくる連ドラが多いんですよね。

大森：『おしん』と『やすらぎの刻』に挟まれていたのも変にプレッシャーでした。橋田壽賀子さんと倉本聰さんや、アニメーション映画『火垂るの墓』を監督した高畑勲さんは戦争体験者です。戦争体験のある世代の方々の書くものと、戦争経験のない僕らの書くものは明らかに違います。大河ドラマ『いだてん～東京オリムピック噺』も戦時が描かれますが、宮藤官九郎さんも志ん生と落語を通して、自分なりに歴史や戦争を描くことと向き合っているんじゃないでしょうか。『なつぞら』はアニメを通して描きました。戦争そのものではなく、体験者の生活を体験するような、そういう二段構えでなければ、なかなか戦争や歴史にアプローチできない世代なのかもしれません。となると、この先、さらに若い世代はどう戦争や歴史を描こうとするのでしょうね。

――天陽くんが描いた「白蛇伝説」の舞台美術は台本では〝天陽版「ゲルニカ」〟とありました。放送日4月26日は、ゲルニカ空爆の日でした。

大森：ゲルニカ空爆の日のことはまったく意識していませんでした。偶然とはいえすごいですね。天陽の空襲体験をさりげなく重ねたいと思って倉田のセリフで「ゲルニカ」という言葉を使うかどうか迷いましたが、実際にはどんな絵が完成するかまだわからなかったものでやめました。僕の中ではどうしても「これはまさに、山田天陽のゲルニカだな」と聞こえてきます。

——唯一明確に天陽くんのモデルのようになっている神田日勝は、大森さんが前からお好きな画家なのですよね。

大森：神田日勝は、僕が二十代前半の頃、ある美術雑誌で見た「室内風景」という絵（ドラマでは天陽がなつの絵を塗り込めて自画像を描いたものがそれに近い）が他人とは思えず、その絵を立体的に再現した舞台装置を造って芝居にしたことがあります。誰も知らない完全に自己満足の世界でしたが、『なつぞら』の取材で十勝に行って、再び神田日勝の絵に出会って、三つ子の魂百までじゃないけど、人間は、ちゃんとそうなるように生きているものなんだなと思いました。

——『なつぞら』は好きなドラマでしたけれど、ひとつだけ心残りなのは、この絵（天陽版ゲルニカ）が燃やされてしまったことなんです。もったいない。

大森：ドラマや映画やアニメと違って演劇は残らないのが美学でしょう（笑）。

（初出：「『なつぞら』最終回　脚本家が明かすぎりぎりの創作秘話。「締めのナレーションには好き嫌いがあると思う」」「Yahoo!ニュース 個人」2019年9月28日）

第6章
『スカーレット』
行間を重視した小説的手法

2019年9月30日～2020年3月28日（全150回）
脚本：水橋文美江／制作統括：内田ゆき／プロデューサー：長谷知記、葛西勇也／演出：中島由貴、佐藤譲、鈴木航／主演：戸田恵梨香
あらすじ：戦後の食糧難と父の事業の失敗により一家で大阪から滋賀県の信楽にやってきた9歳の少女・川原喜美子。15歳になり、大阪の下宿屋・荒木荘の女中として働き始めるが、実家の苦境を知ったことから数年で信楽に戻ることに。地元の窯元の社員食堂で働く中、絵付けの仕事に興味を持った喜美子は、絵付け師・深野心仙に弟子入りする。やがて陶芸家を目指す八郎と結婚し子供も授かった喜美子だったが、自らの窯を開き独自の信楽焼を追い求めていく。

八郎沼〜「キスはいつするんやろ」

2010年代以降の文学的朝ドラ

〝朝ドラ〟は愛称であって本来のシリーズ名は〝連続テレビ小説〟である。小説の特徴である地の文はドラマではナレーションや風景描写や間などに当たるだろう。朝ドラのナレーションで文学的なものをいくつか挙げたコラムを書いたことがあり（223ページに再録）、そのとき感じたのは、2000年代以降はナレーションが個性化して文学的な役割を担うというよりはバラエティー化し、徐々に朝ドラは〝小説〟から遠ざかっていったのではないかということだ。そのなかで『カーネーション』（2011年度後期）は久しぶりに小説的な気配を漂わせていた。だがそれはナレーションよりも間に重きを置いた〝小説的〟というよりか〝映画的〟な作品だった。主に映画の脚本を書いてきた渡辺あやの脚本に依るところが大きいだろう。ただ、渡辺自身は映画と朝ドラの違いを感じていたようで、筆者が「クイック・ジャパンウェブ」で彼女が脚本を書いた自主映画『逆光』でインタビューしたとき、こんなことを語っていた。

試写会に、朝ドラ『カーネーション』でAPをやっていて、今はNHKのプロデューサーになった若い女性が「あやさんの脚本では感じながら、これまで一度も映像に具現化されていない、ある種の艶っぽさみたいなものを今回初めて見た気がしました」と言ってくれたんですよ。ああ、そうか、そうかもなあって思って。

（中略）

朝ドラだと、ディレクターが超ベテランから新人まで7人くらいが持ち回りで撮るので、脚本の行間を大事にする淡いものはやれないんです。監督の演出手腕にかけるよりは、誰が撮っても書きたいことが伝わるように、起承転結とキャラクターのメリハリをつけます。

（「脚本家・渡辺あやインタビュー（1）地元・島根を訪ね、『ここぼく』『逆光』の背景を聞く」「クイック・ジャパン ウェブ」2021年7月24日）

『カーネーション』がどれほど優れたドラマだと視聴者が感じても、やはり映画とは違う。小説の映画化がなにか違うのもそのせいであろう。文字を映像化することは難しく、ひっきょうナレーションやせりふに頼ることになる。

2010年代以降の朝ドラで、文学的だと感じたのは『半分、青い。』と『スカーレット』

である。

『半分、青い。』は会話が詩（ポエム）のよう。朝ドラでポエムをやったところが新しかった。例えば、ヒロイン・鈴愛（永野芽郁）とソウルメイトの律（佐藤健）の会話にこんなものがあった。

鈴愛「律、左側に雨が降る感じ、教えてよ」

律「傘に落ちる雨の音ってあんまきれいな音でもないから　右だけくらいがちょうどいいんやないの」

片耳が聞こえない鈴愛を律が気遣う。この会話はふたりをつないでいく重要なもので、クライマックスの伏線になっている。だが、そこに至る前には紆余曲折があり、鈴愛が一度、涼次（間宮祥太朗）と結婚する。そのとき彼は律の言葉を受けてこう言うのだ。

「傘差したら　片方だけど　ここにこうして空の下に立てば　両方雨降ります　ぼくと一緒に雨に打たれませんか」

このせりふに鈴愛は心打たれてしまう。さらに「僕は、悲しいかもしれない。でも、隠そうと思う。」「翼は折れたかもしれない。でも、明日へ飛ぼうと思う。」というような詩を読んで涼次が書いたものと信じ思いは募っていく。この詩は北川悦吏子が２００３年にＧＬＡＹのライブ用に書いたものだそうだ。

ほかにも、鈴愛が東京に出てきてはじめてときめく人物・正人（中村倫也）のせりふもなかなかポエムであった。

「鈴愛ちゃん、金魚みたい。近くまで来たかなって思うとスッていっちゃう。ひらひらって泳ぐ金魚みたい」と優しい表情で語る正人。鈴愛「金魚……すくって下さい！」

『半分、青い。』のポエム世界を盛り上げるのは俳優の〝声〟である。中村倫也、佐藤健のフェザータッチのささやき声がポエムには不可欠だ。片耳が聞こえない鈴愛が「美しい弦楽器のような通る声でしゃべってくれれば聞こえます」と言う場面があるが、まさにそういう声がポエムを磨き上げていった。

映画監督・元住吉役の斎藤工もそうで「追憶のかたつむり」というシュールな芸術的な映画を語るときウィスパーボイスでムードを高めていた（第82回）。「制圧、弾圧、これは現在の私の姿である」と「制圧」と「弾圧」などという固い単語をやわらかボイスでなにか格調高いような気分にさせるのだ。ちなみに鈴愛の心をとらえた涼平の詩は元住吉が映画のナレーションとして書いたものだった。

声。それが最大限に発揮されたのが、『スカーレット』である。

視聴者を「八郎沼」に落とした名せりふと松下洸平の声

「キスはいつするんやろ」（第69回）

このせりふは『スカーレット』の視聴者の多くを「八郎沼」に突き落とした最強の名せりふである。八郎を演じた松下洸平のシルキータッチのウィスパーボイスがこのせりふをぞくぞくさせる耳触りにしたのである。東京生まれの松下による関西弁が、これまたなんとも言えず魅力的だった。

このせりふに至るまでの八郎と喜美子の描き方がじつにたっぷり尺をとっている。八郎が登場したのは第46回である。「エキレビ！」で筆者はこのように書いた。

喜美子「借金取りから逃げてきました」
八郎「え？」
この「え？」と声を出す前に一回息を吸う裏拍な感じがよかった。松下洸平は舞台で活躍している実力派俳優。東京出身だが事務所のキューブが関西発で関西出身俳優（古田新太や生瀬勝久、橋本さとしなど）が多いからか関西弁もさらりとこなしているように感じる。
（「エキレビ！」２０１９年11月22日）

朝ドラ出たい、出たいと熱望し、オーディションを受け続けたと『ボクらの時代』（2022年6月5日放送）で語っていた。念願かなって朝ドラ出演し、ブレイクした。俳優のみならず、シンガーソングライターとしても活躍していて、歌うようにせりふを語るのがいいのかもしれない。

八郎の存在が大きくなるのが第48回だ。ここで彼のバックボーンが語られる。かつて、実家には祖父が買った深野（イッセー尾形）の日本画が床の間に飾ってあったが、八郎が11歳のとき、闇市でその絵を売って白米と卵に換えたと告白する。松下の特徴的な震えるような声が、この悲しいけれど、生きることを選んだ意思を語るせりふを印象的にした。この絵を喜美子が想像して描いてみるという流れになる。

直接的に喜美子が彼を好きになるのではなく、まず絵を描く＝心が激しく動くこと。その回り道する時間が文学的だ。

「運命的な出会いをしたわけでも劇的な瞬間があったわけでもない、気ィついたら自然と好きになっていた」（第55回）

これも恋のせりふではない。陶芸への思いなのだ。こんなふうに思わせぶりにふたりは近づいていき、ようやく進展するのが第57回。「呼んで？　喜美子呼んで。つきあってください」

と喜美子が八郎にぐいぐい迫る。でもこれも、「エキレビ！」で筆者はこう書いた。

八郎は喜美子のことを「女」として意識しはじめて、泥人形を飾ってふと思いを馳せているふうだったが、喜美子のほうは淡い恋心とかではなく、信作、ハチ、喜美子と呼び合ってあかまつでジェスチャーゲームしたいというような、男と女を超えた関係でいたいと思ったのではないだろうか。（「エキレビ！」２０１９年12月5日）

予想どおり、喜美子（戸田恵梨香）は「つきあう」という概念を正しく理解していなかった。八郎（松下洸平）は「（男女として）好き」「つきあう」「名前を呼ぶ」「結婚する」がつながっているが、喜美子はつながっていない。つきあう人にしか名前を呼ばないと真面目な八郎はしかも「好きな人と結婚する」ことが第三の夢だった。8人いるきょうだいのなかに「女だてらに商売している姉もいるが、「ただいま」「おかえり」と言い合う当たり前な生活を共にする結婚は悪くないと八郎は考えていた。喜美子はつきあった先に漏れなく結婚がついてくるんですか？ともじもじしながら訊ねる。恋愛が成就する前のもどかしさをじっくりと。ついに第60回で「好きや」と告白する喜美子に八郎はおずおずと「抱き寄せてもええですか」と言う。抱きしめられて「あかん」「泣くわ！」「好きやから」と困惑と喜びに悶える喜美子。純情過ぎるふたりだが、徐々に八郎は積極的になって、ついに第69回「キスはいつするんやろ」が発される。

その後もまた情熱的だ。「全部予定どおりはつまらん　僕も男やで」でふたりの唇が近づく。第70回では喜美子が花の絵を茶碗の中（底）に描くことを思いつき、「ええなそれ」といいながらキスする。喜美子は10個の茶碗の底に、小さな赤い印のような花を描く。それはまるでキスの余韻のような。あるいは、キスの雨を降らすようなふたりの熱のような。〝ため息の出るような恋愛文学ドラマになった〟と筆者はレビューに書いた。第46回から第70回までじわじわとふたりの関係の変化を描いていく。とても濃密な25回分であった（もちろん喜美子と八郎のエピソードだけ描いているわけではないが）。

朝ドラと不倫

女性主人公の朝ドラにおける相手役は、『まんぷく』の萬平（長谷川博己）や『エール』の裕一（窪田正孝）ようにヒロインが尊敬して尽くすにふさわしい才能のある人物であることが多い。あるいは『半分、青い。』のように女性がこうだったらいいなあと夢見る少女漫画の王子様的なキャラか。男女で分ける時代ではないが、どちらかといえば、男性脚本家が描く相手役が前者とすると、女性作家が描く相手役は後者になりやすい。『スカーレット』の八郎はこんな恋人だったらいいなあという面は抑えつつ、女性に尽くすにしても尽くされるにしても女性の希望に縛られ過ぎないような余白があったように思う。陶芸への熱意と恋と性欲が混ざったカオスになっていることは生々しい。そして、結婚した喜美子と八郎はロマンティックではなくなる。

喜美子「口移しせえ」
八郎「どすのきいた声でやらしいこと言うな」（第72回）

熱病の時期は過ぎて、現実的になっていくふたり。さらにふたりの間にはひびが入っていく。陶芸家として邁進する喜美子に対して迷う八郎。彼を慕う弟子（黒島結菜）が現れ事態は深刻化するが、不倫にはならない。

朝ドラでよく書かれる問題として、不倫を描くか否かがある。『カーネーション』で主人公・糸子（尾野真千子）が妻子ある周防（綾野剛）と恋に落ちるエピソードに視聴者から批判があったため、その後はできるだけ避けようとしているようだ。少し遡ると、『純情きらり』（２００６年度前期）では主人公が夫がいながら、ソウルメイトのような人物（西島秀俊）に惹かれていくことを止められない感情を描いていて、心のなかだけなのでぎりセーフなのかわからないが、終盤の盛り上がりに寄与していたように思う。「朝ドラと不倫」に関しては「朝ドラと戦争」と並んで、朝ドラの重要なポイントなので、今後も考えていきたい。

八郎の言葉の変化

もうひとつの問題は、女性が強くなると男性のプライドが傷ついてしまうというもの。八郎は「僕にとって喜美子は女や、陶芸家やない。ずっと男と女やった」（第104回）と吐露する。妻をどうしても対等な陶芸家として見ることのできない男の意地のようなもの。それがふたりを離婚に導く。

八郎は男としてのプライドを息子・武志（伊藤健太郎）との関係に見出していく。「おう」「おう」という短いやりとりでなんとなくわかりあえてしまう父と息子との関係には喜美子は入っていけない。そのうち喜美子まで「おう」と言うようになるのが興味深い。

恋しているときの八郎はとても饒舌で柔らかな声で語り、その長せりふが喜美子を心地よくするが、結婚して子供が生まれ離婚すると八郎の言葉は短くなっていく。役割や視点が変わると言葉まで変わっていくことを描いているところに野心を感じた。

武志と八郎は5年ぶりに会ったとき「おう」「おう」とごく普通に会話できたというのに、喜美子と八郎はどこかよそよそしい。親子のように血がつながってないから夫婦は離婚すると他人。それで言葉遣いが丁寧語に戻ってしまった。呼び方は「川原さん」「十代田さん」。とくに八郎は元々ものすごく常識を重んじる性格だから、そうなるよなあと思う。でも自然じゃなくてへんな空気が漂ってしまう。この胸のざわつく感じがたまらない。
面白いのは、武志が「おう」「おう」と言い合ってふつうにたぬきそばを食べたと言っていたこととは違い、八郎はそばを食べられなくて箸が止まってしまったが武志が待っていてくれたと明かすのだ。武志がそれを喜美子に語らなかった理由が想像できる。

（中略）

第109回で留守電に驚いてくしゃみをして切ってしまった人物が喜美子であることを感じながら折り返すことはせず、何年も経って「川原さんですよね」「川原さんやな」と訊く八郎というエピソードも他には誰も経験できない、八郎と喜美子だけの物語だ。

（「エキレビ！」2020年2月12日）

第119回で喜美子は「さばさばいこうや」と八郎を抱きしめる。本当はさばさばしていない、繊細な柔らかな心を八郎は受け止める。同回では武志に気を使わせまいと「喜美子」「ハチさん」と呼び合う。激しい情熱で結婚したふたりが別れてでも子どもがいる限り、親ではあってという複雑な関係性。これだけ八郎という人物を掘り下げて書けば、〝沼〟と化すのも無理はない。

『スカーレット』を恋愛ドラマにした八郎の存在

〝八郎沼〟というブームを作り出した松下洸平は舞台演出家・河原雅彦に「エモい」と言われると筆者のインタビューで語っていたことがある。筆者は『スカーレット』のレビューでこんなふうに書いた。

八郎役の松下洸平がこの大役に選ばれたわけは、骨っぽさかなと思う。喋り方や顔は穏やかだが、粘土を扱う手指が存外、男っぽい。白くて長いが、白魚の……というのではなく、ほどよくごつっとしている。ひじから手首まではすっと細いが、手は四角い。お父ちゃんのように匂い立つような労働者のたくましさではないが、さりとて女性的でもない。爪に向かって細くなっていくのではなく均等に四角い。節々のでっぱりも小さな顔の下の首から突き出す喉仏もくっきりしている。肌が白く石膏像みたいなひんやりした熱情が漂う。機械と人間の間みたいな。（「エキレビ！」2019年12月7日）

その骨っぽい喉から漏れる笛の音色のような声。それが八郎の物語にさらに色をつけた。才人・渡辺あやすら半ば諦めていた生々しい恋が『スカーレット』では実現した。『半分、青い。』でポエムになった朝ドラを今一度、文学に戻したのが『スカーレット』である。

それも恋愛小説に。その功労者は松下洸平の存在だった。

制作統括・内田ゆきは『カーネーション』に参加していた。チーフ演出・中島由貴は内田とともに『アシガール』に携わっていて、いわゆるエモいラブストーリーに長けている印象がある。水橋文美江は漫画が原作の『ホタルノヒカリ』（原作：ひうらさとる）で大ヒットを飛ばした脚本家で、干物女と呼ばれる主人公（綾瀬はるか）と恋人・部長（藤木直人）のじゃれあいを鮮やかに描いた。また、NHKの土曜ドラマ『みかづき』（原作：森絵都）では永作博美演じるヒロインが仕事への野心と性欲と恋愛欲とあらゆる欲望を総動員で、高橋一生演じる目当ての青年に迫る場面を描き、それも生々しくてよかった。

いろいろな意味での女性のだらしない欲望を隠さず描ける作家に、制作統括とチーフ演出家が全員女性。なかなか興味深い布陣であった。だが、2018年12月3日にヒロインは戸田恵梨香に決まったと発表した際の謳い文句は、今回のヒロインは「究極の働き女子」であった。それが視聴者から専業主婦差別ではないか、専業主婦だって働いているという意見が出て、物議を醸した。これもネットで広がった。そのとき『スカーレット』がここまで恋愛ドラマになると誰が思ったであろうか。ヒロインの参考になった実在の陶芸家の半生を知ると、恋愛ものというよりは夫との複雑な関係に焦点が当たりそうな予感であったので、そこは朝ドラでは描かず、陶芸家として働くヒロインを描くことを謳ったのかもしれない。

ふたを開けてみると、Superflyによる主題歌「フレア」の歌詞「恋をして 胸を焦がしたい」

のような燃える情愛に溢れたドラマになっていた。朝ドラで女性が制作統括をすることは昔からあって、『おしん』などヒットドラマは女性の制作統括によるものであるのだが、チーフ演出家が女性であることは稀である。女性スタッフの数が少ないのだろうと感じるが、女性の心情を描くうえでやはり同性のほうが細やかな部分に気づきがあるような気がしている。そんな女性スタッフ体制が生み出した登場人物が八郎だった。

参考までに、松下洸平が自身の声をどう捉えているか回答しているインタビューから引用しておこう。ケラリーノ・サンドロヴィッチ作・演出の『ベイジルタウンの女神』に出演したときのものである。

――KERAさんに演出を受けて刺激を受けたことはありますか。

「『ベイジルタウン～』の稽古で感じたことといえば、KERAさんは会話のテンポや発声の仕方、声の出し方にとてもこだわる方だということ。セリフを発する音について、たくさん注意されました。凄く身につまされたのは、「2、30代の若い俳優たちは圧倒的に語尾が弱い」。語尾が消えちゃうんですよね」

――確かに。みんな優しい響きがしますね。

「まさに僕もその世代です。これまでたくさん演劇に携わらせていただきましたけれど、普段の会話のようなセリフでは、どうしても語尾を弱くしてしまいがちですね。普段、こうやって喋っているときに「いま、語尾消えたな」などといちいち確認してはいませんが、指摘されて、改めて『ベイジルタウン～』に出ている先輩がたのお芝居を観ていると、セリフがもの凄く明瞭で、とても聞き取りやすいんですよ」

――松下さんの場合、語尾のふわっとしたところが魅力のひとつでもあるとも思いますよ。

「ほんとですか？（笑）意識してこういう喋り方にしているつもりはなくて。こういう仕事をする限り、自分の思っていることや、気持ちをちゃんと伝えたいと思ってはいるんです。KERAさんはセリフのテンポに関しても、本当に零コンマ5秒の間でお客さんに伝わるイメージは変わるとおっしゃっていました。人間のコミュニケーションは、かなりの確率で、音に左右されるところがあって、言葉の立て方を意識すると、伝わり方が格段にアップします。文章もそうで、この言葉を伝えたいがために、一度ここで句読点を打つ、ということがきっとあると思いますが、それと同じように、セリフも、ここを立てるとここが弱まるとか、ここをゆっくり言っておくと後で効くとか、『ベイジルタウン〜』ではそういうことをたくさん学びましたので、『カメレオンズ・リップ』でもKERAさんのおっしゃることを守っていこうと思っています」

（初出：「プラスアクト」ワニブックス、2021年1月号）

声の重要性を認識した松下洸平の表現はますます進化していくだろう。その後、2022年に上演された『音楽劇「夜来香（イエライシャン）ラプソディ』では太く強い音を意識しているようにも感じた。いずれも染み入る声で、聞く者を沼堕ちさせ続けることは確実だ。

『スカーレット』は本来の「連続テレビ小説」に立ち返る？
日常に隠れたツボを見つける水橋文美江の作家性

朝ドラの小説的ナレーション

朝ドラこと連続テレビ小説『スカーレット』（NHK）は、信楽で陶芸家として生きる主人公・喜美子（戸田恵梨香）の物語。貧しい家に生まれ育ち酒浸りの父（北村一輝）に悩まされたりもしつつ、家庭以外で出会った人たちから学びを得ながら、陶芸という生きがいを発見し、喜美子は邁進していく。第7週では、火鉢の絵付けの師匠（イッセー尾形）との出会いによって彼女の人生は大きく変化しはじめた。

『スカーレット』には「戦後」「貧しい家庭」「ダメ父」「しっかり者の主人公」「幼馴染」「助けてくれる人たち」「生涯を変えるような職業との出会い」……等々、「朝ドラあるある」要素が過不足なく組み込まれている。いいことと悪いことが寄せては返す波のように訪れ、笑いあり、涙ありで進行し、これはもう十分に朝ドラらしいと言っていい。さらに特筆すべき点は、本来の「連続テレビ小説」の意味に立ち返っている節を感じさせることだ。

朝ドラこと連続テレビ小説がはじまったとき、新聞小説のようなものを意識していたそうで、だからか、小説を原作にしたものが多く、獅子文六、壺井栄、武者小路実篤、林芙美子、川端康成と錚々たる作家による原作ものが続き、ドラマの進行を司る語り（ナレーション）はまるで小説を朗読しているように、状況や登場人物の心情を語っていた。

山田太一脚本の『藍より青く』のように脚本家が小説も出版しつつ脚本を書くこともあった。昨今は原作は原作、脚本は脚本、ノベライズはノベライズと各々書く人が違っていることのほうが多い。そんななかで、『スカーレット』は脚本自体が小説のようなところがある。例えば、第12回、喜美子が大阪に出稼ぎに行く決心をして丘の上で夕日を見たとき、信楽焼のかけらを拾う。そこでのナレーション（中條誠子アナウンサー）は「みつけた焼き物のかけらを喜美子は旅のお供にしました」だった。また、第27回。大阪に出稼ぎに行った喜美子が初恋を経験するも、想いが儚く砕け散るエピソードの締めのナレーションは「あき子さんもあき子さんのお父さんも散歩のコースを変えたのでしょう。犬のゴンはもう荒木荘の前を通りません」。こういう語りに絵本や小説などを読んでいるような感覚になるではないか。

現在（2019年）、再放送中の『おしん』も奈良岡朋子のナレーションが「祖母の一生を哀れと思うだけに怒りにも似た激しいものがおしんの胸の中にふつふつとたぎっていた」（36回）

とか、竜三の爺や・源じいが関東大震災で亡くなる前の回（113回）で「明日、二百十日ですけん……」と季節を感じさせるセリフを橋田壽賀子が何気に言わせるところなど文学的だなあと思うところがそこここにあった。昔はそういうふうだったのが、いつの頃からかナレーションは変わっていく。朝ドラではないが、三谷幸喜のNHK大河ドラマ『真田丸』のナレーションで登場人物の死を説明することを誰が名付けたか「ナレ死」と呼ぶようになった。その頃からとみにドラマのナレーションにしっとりした文学性よりも、ツッコミ、解説、ドラマのメタ化のような役割を求められることが増えたように思う。あと、亡くなった登場人物が見つめ呼びかけているような、登場人物のナチュラルなセリフと同じようなもの。それはそれで楽しいが、そればっかりでも可能性が狭まってしまう心配も否めない。そんなとき『なつぞら』が最終回で「101作に続けよ」とナレーションして、作家・大森寿美男は究極のメタナレーションとして爪痕を残した。これを超えるおもしろナレーションのアイデアはなかなか出づらいだろうと思ったところ、101作目の『スカーレット』はしっとりした客観的なナレーションに戻してきた。なんとすばらしきバランス感覚である。そして見事に久々に聞くしっとりしたナレーションと陰影のある画面があいまって上質なドラマを見ているような気分になっている。

脚本家・水橋文美江の作家性

「上質」といっても、NHKで放送している番組『世界はほしいモノにあふれてる』のように画面に世界各国の高級な品々がたくさん出てくるというものではない。賛否両論もある「丁寧な暮らし」を好む層に訴えかけるような、毎日の生活のひとつひとつを丁寧に、きれいに、描写する路線だ。喜美子は出稼ぎに行った大阪で家事のプロに学び、家事を丁寧に行うようになる。場所によって箒を変えること、人によってお茶漬けの薬味を変えること、美味しいお茶を入れることなどなど……。そして、女たちはお茶を飲みながらおしゃべりを楽しむ。第39回は、喜美子が大阪で世話になったちや子（水野美紀）が信楽に大阪で愛飲していたお茶を持って訪ねて来て、その味をなつかしむ場面があった。そこにけっこうな尺がとってあり、何も話が進まないといらっとなる視聴者もいるかもしれないが、お茶の味の大事さを描くことが堪らないと思う視聴者もいるのだ。

お茶を愛でるなんて、『相棒』シリーズ（テレビ朝日系）の右京さんくらいであったが、ホームドラマの朝ドラこそ、食だけでなくお茶にも目配りすべきだったのではないかと目から鱗が落ちるような思いがした。

「丁寧な暮らし」だけではない。女が男と並んで社会で働こうとする先輩としてのちや子と喜美子の関係性や、幼馴染・照子（大島優子）との気のおけない関係（幼い頃、キスまでしている）など、女子同士の関係性の機微を書いているところも見応えがある。喜美子は、姉のような人には甘えることもあれば、口紅を買ってあげたい、お茶漬けつくってあげたいと思い、幼馴染には安心してわざと雑に扱い（もちろん愛情がある）、妹たちを母のように守ろうとするなど、相手によって違う顔を見せる。思えば、ふだんの我々だってそういうものだが、フィクションだと意外と一面的な役割（たとえば、気丈な子、優しい子、みたいな）ばかりが描かれていく。善悪は紙一重とかそういう難しい問題以前に、人間は相手によって役割を変えるのだということをそれこそ丁寧に描くことで、主人公の魅力が広がる。とくにこれからは「娘」「妻」「母」……そういう決まった役割だけではないことをもっと描いていっていいはずなのだ

脚本を書いているのは、水橋文美江。90年代から脚本家として活動しているベテランはまだバブルの余韻の残る華やかなドラマが多かった時代に、地道に生きる人達を描くドラマを担当することが多かった。大ヒットした作品は、ひうらさとるの漫画を原作にした『ホタルノヒカリ』（2007年、日本テレビ系）。職場ではできる女だが、家に帰るとダラダラゴロゴロしている「干物女」（綾瀬はるか）が部長（藤木直人）と恋する、働く女の生活のリアリティとそれを受け入れてくれるイケメンの恋人というドリームとの二段重ねで人気を博し、パート2、映画もできた。2017年には、息子を誘拐された母（沢尻エリカ）と誘拐された子を7年間育てていた育ての母（小池栄子）、ふたりの女の各々の生き方、そして関係性を魅力的に書いたオリジナル『母に

なる』（日本テレビ系）が注目された。

２０１９年には、森絵都の小説原作で土曜ドラマ『みかづき』（ＮＨＫ総合）で学習塾を経営する夫婦（高橋一生、永作博美）を描いた。彼らの恋愛に至るまでのやりとりから、夫婦で共同経営者になってからすれ違っていく関係までスリリングに描き、これを朝ドラで見たいという視聴者の声もあったほどで（私もそう思ったひとり）、その後の『スカーレット』ということで期待はしていた。フィクションだからこそのありえないことではなく、思いつかなかったけど、書かれてみると、なんかわかる、しっくりくるというような日常に隠れたツボを鋭く優雅に見つけていく知性的な作家だ。

あたかも魔法の指をもっているリラクゼーションの施術師みたいな水橋の書く朝ドラは、「ナレ死」とか「伏線回収」とかＳＮＳでわいわい消費されやすいネタが満載のドラマではなく、じっくり間合いや言動の裏側を感じて味わうドラマ。朝ドラが毎回、こういうタイプであれとは思わないが、何作かに一作はこういうものがあって良い。

いまのところ、喜美子が初恋に破れたばかりで父に結婚をすすめられても興味をもっていない。結婚して家庭に入る生き方とは違うことを目指している。やがて結婚して子供ももちながら仕事に励むようだが、妻として母として働く者として自立していったときの喜美子を水橋文美江がどう描いていくか、これからが本番である。

（初出：「リアルサウンド」２０１９年11月20日）

『スカーレット』〝週6日〟の朝ドラ『スカーレット』が残したもの 行間を読ませた小説のような味わい

週6日放送スタイルの最後の作品

1961年からはじまった〝朝ドラ〟の通算101作目の『スカーレット』は、週6日（月～土）放送のスタイルで制作された最後の作品である。また復活するかもしれないから完全に最後とは言えないが、とりあえず最後の週6朝ドラであった。

土曜日の朝、最終回（第150回）を見て思い出したのは、第149回で、主人公・喜美子（戸田恵梨香）の息子で白血病と闘う武志（伊藤健太郎）が書き残した「いつもと変わらない1日は特別な1日」という言葉だった。ああ、いつもと変わらない土曜日は今日で終わるのだなと。

次作『エール』は月～金の週5回となり、土曜日は1週間を振り返る総集編となる。

土曜日がまったく違う番組になるのではなく、朝ドラに関する番組になるので良かったとはいえ、本編が20回強ほど減ってしまうことは確か。時間にするとだいたい5時間くらいか。同じ半年間の放送とはいえ、それだけなくなると描く内容や見せ方なども変わるだろう。もっとも、昨今は1話完結のドラマや、YouTubeなどで短くさくっと見ることができるものを好む人も増えているし、朝ドラ自体が15分という手軽さが人気の要因のひとつと考えられている。これからはトータル話数を減らし、さらに身軽にすることで、ギュッと中身の詰まったものになり、より時代のニーズに合うことが期待できる。

週6放送だったときは、例えば『ひよっこ』では土曜日に主人公（有村架純）が実家・茨城に帰郷し、田植えをするエピソードが描かれ、それが週末の朝の癒やしになると好評だった。『わろてんか』では、土曜日になると、主人公（葵わかな）の亡くなった夫（松坂桃李）が幽霊になって出てくるという、あえてやっているのか偶然なのかわからないが、今週は出るかな？という楽しみがあった。そんなこともなくなるかと思うとちょっとさみしい。

『スカーレット』は土曜日ならではの企画めいたものはなく、月から土までひたすら丁寧に物語を紡いでいた。行間を想像させたり、直接的な表現をあえてしない言葉遣いだったりが小説のような味わいで、ふだんそれほど朝ドラを気に留めない、文芸関係者たちも注目していたようだ。

「ここ、見せ場です！」という瞬間をあえて作らない

朝ドラレビューを毎日書いている私がそこでも何度か取り上げたことに、『スカーレット』は女性の半生を描くドラマでありながら、結婚式や臨終、お葬式などの定番の人生イベントを描かず、日常描写にたっぷり尺をとっていたことが特徴だった。舞台も主人公の生家（母屋と工房）のほぼワンシチュエーションに限られていた。主人公は生まれてからずっと同じ家に住んでいた。これは朝ドラでは珍しい。

工房の中での喜美子と夫・八郎（松下洸平）の会話だけで1回分を使ったこともあった。こういう出来事を描くのではなく会話を描く見せ方は『ちゅらさん』、『おひさま』、『ひよっこ』と朝ドラを3本も手掛けた岡田惠和も好む書き方である。実際、家族がひとつ屋根の下にいるとき、特別なことなんてそれほど起こらず、たわいのない会話をしたり、ときには会話すらなかったりするものだ。

『スカーレット』で印象的だった場面のひとつに、武志が離婚して去っていった父・八郎と久しぶりに会ったとき「おう」「おう」と簡単な挨拶をして黙ってたぬきそばを食べたということを語るエピソードがある。こういう場面を、実際に撮影すらしないで、こういうことがあったと語らせるのも、『スカーレット』ではよくあった。最終回でも、八郎が武志と飲みにいった話、主治医の大崎先生（稲垣吾郎）が武志の手を握った話などが思い出として語られる。実際

の場面として描く以上に、思い出して語ることで、出来事がこのうえもなく美しいものへと昇華する。まさに「特別な」ものに。

『スカーレット』には「ここ、見せ場です!」という、ズームアップの瞬間がなく、引いた視点でずっと舞台を見ているような印象がある。見ている側が勝手に好きなところにズームして楽しむような感じが。忙しい朝は、インスタント食品で、数秒で元気をチャージしたいとか、てっとり速く趣旨を理解したいとか思うせっかちな人にはややのんびり感じるかもしれないが、味噌汁の出汁をとるところからはじめて、珈琲も豆から入れるような、朝ごはんをしっかり食べる派には『スカーレット』は見応えのあるドラマだった(朝ごはんは例えです、念のため)。

過渡期に立つ作品に込められた惜別と希望

そんなふうにずいぶんじっくり描いているほうだと思う『スカーレット』でさえ、まだ書いてあった場面がカットされていたということもあるようで(脚本家・水橋文美江がInstagramでカットされたところを紹介していた。カットされた部分も描いていたら、週7日にしないといけなかったかもしれない。

1時間×週1回×10話ほどの通常の連続ドラマでは描けない、プラスアルファの表現の魅力が、50時間くらい減ることで、今後損なわれてしまうとしたら、いささか残念に思うが、代わりにまた新しい表現も生まれるかもしれないのでそれはそれで楽しみだ。
ちなみに、武志が旅立った年は昭和62年（1987年）。これは現実の歴史でいうとその2年後に「昭和」が終わる先触れがあった年である。この年の春、昭和天皇の体調が悪くなり秋頃に手術が行われた。喜美子の作品として器を提供した信楽の陶芸家・神山清子も、息子を白血病で亡くしているが、それはこの年ではない。そう思うと、令和1年にはじまり、新たな時代へと向かっていく過渡期に放送された『スカーレット』は、昭和や平成のスタンダードとの惜別と、新たなフェーズへの希望を込めた作品になったと感じる。

（初出：「リアルサウンド」2020年3月30日）

林遣都×大島優子、『スカーレット』の世界観を支える演技力
〝主役〟のふたりが親友役を演じる贅沢さ

主人公の幼なじみメインの特別編

朝ドラ『スカーレット』の放送も残すところいよいよあと1カ月となった。幼い頃、大阪から信楽に移住し、陶芸に目覚めたヒロイン・喜美子（戸田恵梨香）が、自分の心の思うままに表現する喜びを発見していく過程が描かれ、そのため何を選択するのか、愛か、孤独か……と苦悩の末、別れた夫・八郎（松下洸平）と女手ひとつで育てた息子・武志（伊藤健太郎）とわだかまりをとっぱらって新しい関係を築くことになったところまでが20週。翌、第21週は、一旦、喜美子の物語は小休止、特別編になった。

第21週のサブタイトルは「スペシャル・サニーデイ」（脚本は三谷昌登）。喜美子の妹・百合子（福田麻由子）と喜美子の幼なじみの信作（林遣都）夫婦を中心にした、これまでの回想も交えたコメ

ディ仕立ての内容である。

有馬温泉に日帰りで出かけていった父・忠信（マギー）と母・陽子（財前直見）の代わりに店番をする信作と百合子のもとに、喜美子の幼なじみ・照子（大島優子）の夫・敏春（本田大輔）がやって来てひと悶着。今度は百合子の昔の知り合いがやって来て、信作がやきもき……。その流れに主人公の喜美子は出てこない。あくまで信作や百合子、照子がメインの週だ。こういう内容は本編が終了した後、しばらくして放送されるスピンオフドラマによくあるが、本編の枠でやることは珍しい。けれど、そもそも林遣都や大島優子は主演作品も多くもつ華も実力もある俳優で、『スカーレット』でも要所要所でドラマをかなり引き締めて来た。そんな林と大島だからこそ、スピンオフ枠でなく本編枠でやる意味があるともいえるだろう。

思えば、主人公の幼なじみ役をこれだけの大物が演じることも珍しい。たいていは朝ドラをきっかけに飛び立っていくことを期待されたフレッシュな俳優か、若いなりに実力あるバイプレーヤーがやるものとされている。例えば、広瀬すず主演の『なつぞら』では幼なじみは山田裕貴、福地桃子、富田望生、安藤サクラ主演の『まんぷく』では松井玲奈、呉城久美、永野芽郁主演の『半分、青い。』は矢本悠馬、奈緒。有村架純主演の『ひよっこ』では佐久間由衣、泉澤祐希などが務めてきた。

今回のヒロインを演じる戸田恵梨香が新人枠ではなく、フレッシュ俳優がやると実力も年齢差も歴然としてしまうため、彼女と拮抗する俳優としての林遣都と大島優子だったのだろう。

そして、ふたりがたくさんのファンもいる実力派だったため、出演が発表されたとき、私は彼らの出番が多いものと勝手に思い込んでしまった。ところが第1週の子役期間を経て、第2週目に登場するも、第3週目から喜美子が大阪に行き、ふたりの登場シーンはほとんどなくなる。

幸い、大阪編は予想以上に短く、6週目から喜美子が信楽に戻って来て照子の実家・丸熊陶業で働くことになった。とはいえ、喜美子も照子も信作も成人して各々の道を歩むため、林遣都と大島優子はやっぱりたまにしか出てこないのであった。残念。とはいえ、ふたりはわずかな出番で視聴者の心をしっかり掴んでいる。例えば、名優は全2幕の舞台の1幕には出ず、2幕の印象的な場面にちょっとだけ出て盛り上げるということもあり、あたかもそういう役回りのごとく、時々、印象的な場面に出てきて、喜美子を支え続けた。

青春の香り漂う林遣都の才能

林遣都と大島優子は、芝居の方向性は違うと感じるが、短い出番で確実に世界観を作り上げ、見る者に伝えたいことを十分過ぎるほど伝えることにおいては同じくらいの力を発揮している。

例えば、林遣都。滋賀県で生まれ、10代の頃は青春ものによく出て人気を博し、マイペースで活動している印象で、朝ドラでは2016年度後期の『べっぴんさん』でかっこいいドラマーを演じていた。2018年、ドラマ『おっさんずラブ』(テレビ朝日系)に出演すると熱狂的な支持を獲得、いまに至る。そのとき演じた牧は同性を愛する人物だったが、男女関係なく、林の演じる牧という役の、屈折と繊細さがラブストーリーも奥深いものにした。

『スカーレット』で林が演じる信作は、幼少時、人見知りで友達がいなかったが、遠慮のない照子と喜美子にいじられることで救われていた。成長するとイケメンになって黙っていても女子が寄ってきて、来る者拒まずのモテ男になる。しかし、自分の本音がわからず、必ず女子を怒らせてしまう。やがて、喜美子の妹・百合子と心を通わせ合い結婚することになる。男の友達は喜美子の夫・八郎だけ。守備範囲が狭いが、この人！と思った人にはとことん親身になる。不器用だが一生懸命な言動で百合子、喜美子、八郎たちを支えて来た。

林遣都の才能は、彼が出て来て、ふと佇み、セリフを言うと、胸の奥が締め付けられること。誰もがもつ青春の思い出を呼び起こすこと。彼が語り、ちょっとした仕草をすると、自分で自分が明確にわからず、すべてのものに素直じゃなかった十代のときの彷徨える心にたちまち戻ってしまう。こういう雰囲気は、川べり、海辺、屋上などでロケをすると、空や風、陽光の雰囲気でそれっぽさが出るものだが、林遣都は、無風で奥行きのないセットでもひとりでロケ感を出してしまう。青春の香り漂うルームフレグランスのような俳優なのである。

役の設定としては信作はもう40代で、課長で子供もふたりいるお父さん。「おもしろおじさん」として、喜美子たちを笑わす役割を懸命に演じ続けるという役。どこかトゥーマッチなほどの滑稽な言動は、必死に頑張って「おもしろ」を演じている証なのだ。とにかくいつでも全力を尽くす、その全力で走ったあとの清々しさみたいなものが、青春感と通じているのではないだろうか。

信頼感の大島優子

一方、大島優子。子役から芸能界に入り、10代はＡＫＢ４８というアイドルグループのレジェンドに所属、トップランナーのひとりとして駆け抜けた。その後、俳優となり、映像や舞台で活躍、主演映画も多数こなし、舞台では稲垣吾郎や三浦春馬の相手役を務めた。常に〝全力の人〟と思われるようなところがあるが、実はちょっと引いてものを見ていて、自分のエネルギーの動きを数値化するくらいのレベルで細かく把握しているような冷静さを感じる俳優である。だから、彼女と一緒にいるとものすごく安心。優れたナビゲーターとして運転の指示をしつつ、自分で運転も代われる。そんな頼もしさがある。

『スカーレット』で大島が演じる照子は、喜美子とは対照的なお嬢様。信楽の名士・丸熊陶業のひとり娘としてわがまま放題に育つ。でもなぜか喜美子を気に入ってちょっかいを出してくる。ほんとは優しいけど素直じゃないだけなのだ。幼いとき、戦争で兄を亡くし、その幻影をいつまでも引きずっている。婦人警官になりたかったが諦めて、婿をとり丸熊を継ぐ。後半戦は、田舎のお金持ちのおばちゃん感をふんだんに出して、「家庭菜園照子」仕様（布の帽子、エプロン、長靴など農業やっている服装とかごいっぱいの野菜）で出てくることが多くなった。コスプレ感とリアル感が絶妙に混ざり、見事にそれっぽく見えて面白い。関西ネイティブではないながら、関西弁も器用にそれらしく話す。自然に演じるというよりも、それらしさの特徴を捉えて的確に演じることが得手の、スケッチ上手という印象がある。夫・敏春との相棒感も見事だ。

いつも明るくけろっとして場を照らし（照子だけに）、適度に場を賑やかしつつ、いざとなると、女として、妻として、母としての生真面目さを全面に出し、喜美子をどやしつける。肝っ玉かあさん的な強さ。主人公の喜美子が心の赴くままに、夫と子供を後回しにしても表現のけもの道に分け入りたいという人だから、照子はいわゆる一般的な妻となり母となる道を歩む存在として揺るがない。彼女がいるからこそ、喜美子が自由になれたと思う。

信作と照子にスポットライトが当たる特別編への期待

信作、照子、こんなに優秀な親友がふたりいるにもかかわらず、喜美子がふいに現れた謎の女・小池アンリ（烏丸せつこ）に、八郎と武志と新たなフェーズに向かうきっかけ作りをしてもらってしまったことがいささか残念な気もした。最後まで、信楽の幼なじみ3人でいろんなことに立ち向かってほしかったなとも思ったが、このように特別編で信作と照子にスポットが当たるのだから良しとしたい。

信作と照子はコメディリリーフな面もありつつ、本編で相当シリアスな部分も引き受けているので、特別編では徹底して喜劇を演じることでふたりの芸達者ぶりがより際立っていいかもしれない。そして、最後の1カ月はぜひとも信作と照子で喜美子を支えてほしいと願っている。

（初出：「リアルサウンド」2020年2月28日）

追記：信作と照子を演じた林遣都と大島優子は2021年7月29日に結婚を発表。ドラマでは息のあった幼なじみ役でふたりのファンも多かったためSNSには祝福の声があふれた。

第7章
『エール』
コロナ禍に直面したミュージカル朝ドラ

2020年3月30日～2020年11月28日（全120回）
脚本：清水友佳子、嶋田うれ葉、吉田照幸／制作統括：土屋勝裕、尾崎裕和／プロデューサー：小西千栄子、宮本えり子、小林泰子、飯島真一、土居美希、川口俊介／演出：吉田照幸、松園武大、橋爪紳一朗、野口雄大／主演：窪田正孝
あらすじ：明治末期、福島の老舗の呉服屋に生まれた古山裕一。いじめられっ子だった少年は、音楽と出会い、独学で作曲の才能を開花させていく。跡取り息子として一度は音楽の道を諦めようとする裕一だったが、内緒で海外の作曲コンクールに応募し入賞を果たす。それをきっかけに歌手を目指す関内音と出会い、二人は結婚、上京して音楽の道を歩む決意をする。しかし、時代は戦争へと突入し、裕一は軍からの要請で多くの戦時歌謡を作曲することになる。

朝ドラが止まった日

コロナ禍の放送休止があまりにインパクトが大きかった『エール』だが、放送前は週5日放送になることで、新たなターンのはじまりと注目されていた。これを機会に朝ドラを見ようと思う人もいるだろうと、序盤、朝ドラの楽しみ方を改めてまとめたコラムを書いた。

『エール』第1週に見る　朝ドラの楽しみ方

国民的番組として愛されている朝ドラこと連続テレビ小説は、『エール』で102作目。巨人や阪神の応援歌をはじめ多くのヒット作を生んできた作曲家・古関裕而をモデルにした主人公・古山裕一（窪田正孝）の人生の物語となる。

これまで月~土曜日の週6回放送だったが、『エール』から週5回に短縮されたことで印象が変わるのか変わらないのか注目されている。4月3日の金曜日まで放送された第1週を見て、少し短く、余韻に欠けるかも？という印象を受けた。

コロナウイルス感染で出演が予定されていた志村けんが第1話放送の前日に亡くなったことや、同じくコロナウイルスの影響でしばしの撮影中断が決定されるなど、出だしから波乱万丈ではあるが、内容は音楽や笑いなどもふんだんに取り入れながらヒューマニズムあふれるドラマになりそうである。

主演の窪田正孝や相手役の二階堂ふみも演技派でしっかりした芝居を見せてくれそうだ。

では、ここから〝朝ドラを楽しめる8つのポイント〟に照らし合わせながら『エール』の可能性を検証してみよう。ここから半年放送が続いていく『エール』。1週目を見逃してしまった人もこのポイントを押さえれば、今からでも最大限に楽しめるはずだ。

その1）どんな日でも流れる、朝ドラ名物「主題歌」

朝のはじまりにふさわしい明るいもの。インストゥルメンタルと歌詞ありバージョンとがあるが、最近は人気シンガーの歌詞ありが多い。『エール』はGReeeeNの「星影のエール」で、さわやかな応援歌になっているが、第1話では冒頭に流れず、エンディングのように使用された。

その2）〝幼少時代〟を演じる子役にも注目

主人公の半生または人生を描くドラマなので、幼少期からはじまることが多い。『半分、青い。』では母のお腹にいるところから描き、斬新と注目された。『エール』は、菊池桃子演じる母が主人公・裕一を出産したところから、一気に飛んで小学5年生（石田星空）に。

ドラマにおける主人公の幼少時代は、本題にまだ入っていない感じがして退屈で、次第に短くされる傾向もあるが、逆に最近は、子供時代が良かった！と言われることもあり、『なつぞら』や『スカーレット』も子供時代が注目された。『エール』では、やがて三羽烏として音楽の道を歩んでいく主人公とふたりの友人を演じる少年俳優たちが各々しっかりした個性を発揮していて、応援したくなる。

その3）男性主人公は『マッサン』玉山鉄二から6年ぶり

朝ドラは基本、主婦層をターゲットに置いたドラマなので、女性が主人公であることが多いが、時々、男性主人公のものもある。今回は、玉山鉄二が主演した2014年の『マッサン』に続き、窪田正孝が主人公を演じる。男性が主人公だと主たる視聴者の共感を獲得しにくいというデメリットもあるのだが、主人公の夫や恋人役の男性の魅力が朝ドラの求心力でもあり、とりわけ近年はイケメンが視聴のモチベーションになることも多いので、あえて男性を主人公にするのも戦略としてはいいかと思う。

その4）「朝市さん⁉」主人公となって戻ってきた窪田正孝

主人公はフレッシュな新人が多かったが最近はある程度、実力と認知度のある俳優の起用も増えてきた。合わせて、過去に朝ドラで脇をつとめ、好感度の高かった俳優が主人公となって戻ってきたという、出世魚を見るのも楽しめるポイントだ。主人公を演じる窪田正孝は2010年『ゲゲゲの女房』、2014年『花子とアン』に出演して、脇役ながら人気だった。とりわけ『花子とアン』では、朝市という、朝ドラのあとに放送されている『あさイチ』と同じ名前をもらって、彼が主人公のスピンオフまで制作されている。朝市はヒロイン（吉高由里子）への想いが実らない切ないキャラだったが、『エール』では、二階堂ふみ演じる妻・音と、幼少期から運命の出会いをして添い遂げる。そんな夫婦の二人三脚も必見だ。

その5）朝ドラに欠かせない「ナレーション」

朝ドラは、当初、朝の支度が忙しい主婦が作業しながらでも内容がわかることに留意されて作られた。そのため、丁寧に状況や心情を説明するナレーションが重視される。「連続テレビ小説」なので「小説」の風情ある文学的な表現を、名優やアナウンサーが美しい発声で語ることもあれば、ドラマの中で早々と亡くなった人物が主人公たちを見つめているような設定で、ドラマにコミットするような親しみを感じるナレーションもあるなど、毎回工夫がされている。『おしん』の最終回ではナレーションを担当した奈良岡朋子がゲスト出演するサプライズがあった。

『エール』では人気声優・津田健次郎がナレーションを担当。第1週から存在感のある語りを聞かせてくれている。

その6）一生を描くからこそ……「時代の変化」も見どころ

朝ドラは、主人公が第二次世界大戦を体験することが多い。日本人共通の大きな喪失体験を乗り越える物語が共感を呼ぶからかもしれない。今作『エール』も主人公は明治42年生まれで、第1週は大正時代が描かれた。ここから主人公は昭和に入り、戦争を経験し、復興の祈りもこもった1964年の東京オリンピックの入場行進曲を作曲することになる。ちなみに、NHKドラマ・ガイド『なつぞら』によると明治生まれの主人公は26人。『エール』を入れると27人になるということである。

その7）見逃しても安心な「土曜の振り返り番組」も必見

1961年にはじまった朝ドラは月から土まで、週6回放送され続けてきた（第2作目以降）。習慣化されやすい放送日程から、自ら積極的に見なくても子供のとき親が見ていたのでなんとなく見ていたというような記憶がたいていの日本人にはあるだろう。これまでは主な視聴者は主婦層だったが、水木しげるとその妻をモデルにして漫画の世界を濃密に描いた『ゲゲゲの女房』や宮藤官九郎の脚本で笑いや80年代のサブカルチャーを盛り込んだ『あまちゃん』などによって、大人になってから改めて見始めた視聴者が増えてきたというのが最近の朝ドラ。

『エール』からは週5日の放送となり、土曜日は、その週の振り返りをバナナマンの日村勇紀をナビゲーターにして行う。見逃してしまった週も、この振り返りでおさらいできるので安心だ。

その8）「朝ドラ送り」「朝ドラ受け」を見て、3度楽しい

朝ドラの視聴率は平均で20％を超えており、「みんなで楽しむ」という認識が高まっている。朝ドラ放送直前のニュース番組『おはよう日本（関東甲信越）』では、前日見た感想とこの後の期待を述べる「朝ドラ送り」、放送後の『あさイチ』ではいま見たばかりの率直な感想を語る「朝ドラ受け」が出演者によって行われ、それも合わせて見ることが朝ドラファンの楽しみになっている。

朝ドラ送りは高瀬耕造アナ、朝ドラ受けは朝ドラ好きの博多華丸・大吉の華丸が積極的に行っている。朝ドラ送りは、熱心な高瀬アナに対して、一切見ていない和久田麻由子アナのあしらい芸も楽しみだったが、『エール』から桑子真帆に代わり、そろって朝ドラ応援体制になるようだ。朝ドラはもはや、ドラマを楽しむだけでなく付随したエンターテインメントを楽しむ時代になっている。

以上8つの基本的な楽しみを、『エール』はクリアしている。スタートとしては盤石であろう。ユニークな脇役、朝ドラあるある等、まだまだ朝ドラの楽しみどころはあり、それが『エール』ではどのように取り入れられ、また、これまでと違う挑戦をどれくらい行うのか……見守っていきたい。

（初出：「文春オンライン」2020年4月6日）

こんなふうに、改めて〝朝ドラ〟の楽しみ方を提示していたところ、楽しめない事態が起きた。

朝ドラの放送休止と再放送

朝ドラが止まった。

2020年。これは朝ドラの歴史的にも人類史的にも未曾有の年であった。コロナ禍が世界を覆い、人類の活動を止めたのだ。

らなかった。

『みんなの朝ドラ』で筆者は朝ドラは朝起きると朝ドラをやっているルーティーンが続く限り日本は平和なのだと書いたのだが、その3年後にまさか止まってしまう日が来るとは思いもよらなかった。

2000年代以降で朝ドラが休止したのは、『てっぱん』(2011年)。3月11日に東日本大震災が起こったことによって3月12日〜18日まで一週間、休止した。2000年代以前では『おしん』で田中裕子が倒れたとき、総集編的なものを放送したことがあるそうだ。

『エール』の放送休止期間は長かった。6月27日(土)から9月11日(金)の2カ月半、止まった。コロナ禍、緊急事態宣言が出て撮影ができなくなったからだ。

収録は4月1日から止まり6月16日から再開した。

休止中は6月29日(月)から第1回からの再放送がされた。まんま同じにならないように、出演者による副音声が録り下ろされた。再放送で良かったことは副音声を聞く習慣がなかったところ、副音声の存在を認識し、音声で聞く情報も意外と興味深いということだった。

以下はこの時期、筆者がnoteに書いた原稿の抜粋だ。朝ドラレビューを2015年度前期の『まれ』から毎日休まず書いてきた筆者の5年3カ月の連続記録がストップしたため、することがなくなってnoteに朝ドラについて書くことにしたものだ。結果的に毎日規則正しい時間に書かないと続かないことを痛感した。まるで『カムカムエヴリバディ』で語られた1日15分だから英会話の学習が続けられるというようなものである。

『エール』は副音声があるとはいえなぜ再放送なのだろう？とも思っていた。そんな記事も書いた。『麒麟がくるまで待てない』として過去の名作を紹介したり、総集編などを放送してほしいとも思ったが、毎日、15分の連続ドラマが放送されるというルーティーンを止めないというNHKの矜持なのかもしれないという気もした。たとえ1話からに戻ったとしても、そこからまた前に向かって進んでいるわけで。毎日の営みを、物語を止めないということ。それこそが朝ドラの祈りであるのかもしれない。たわいのない物語でも淡々と続いていることが大事で、毎日、工夫をこらした特別番組を放送しはじめたら混乱する人もいそうだ。3ヶ月前に放送したものであっても気づかない人もいるかもしれない。時計代わりともいわれていて、実際、その程度のものなのではないか朝ドラは。これは悪い意味ではない。それがいいのではないだろうか。なかには稀にそこから突出した名作が誕生することもあるが、基本はたわいない日常や人生のスケッチなのではないか。それこそが愛おしいというような。現実の私達の日々だってそういうもの。バズるような傑作人生は誰もが送れるものではない。

朝ドラ『エール』が第65回まで放送した後、休止して、1話からリフレインしているという事態は、時が巻き戻ったかのような、SF的な世界である。

先日、『あさイチ』で、「エール」の再放送をはじめて見てると思い込んで笑っているお年寄りのことが心配という投稿があった。不条理である。

コロナ禍という誰も予想していかなかった出来事は、人々の生活を変え、考え方を変えた。テレビドラマも影響を受けるだろう。コロナ禍がテレビドラマ、あるいは朝ドラにどんな影響を与えたかは、いずれ検証する必要がありそうだ。そのとき『エール』は時代の転変換期に誕生した朝ドラとして重要な作品となるだろう。

祝・放送再開と異例のコンサート仕立ての最終回

朝ドラが再開したときはホッとした。9月14日、第66回から再開したときの「エキレビ!」(2020年9月14日)の原稿の書き出しはこうだ。

コロナ禍で撮影が中断し、6月末から2カ月ほど放送も中断し、1話から再放送されていた『エール』がついに再開。

『おはよう日本 関東版』でも高瀬耕造アナが「おかえりなさいエール、いよいよ再開です」と感無量。涙にむせぶ目を腕でこする仕草を『エール』に切り替わる瞬間に滑り込ませるタイミングもさすが。

こんなふうに朝ドラを愛するアナウンサーの言動に喜びながら、朝ドラを観る。ひさしぶりに日本の朝を実感。やっぱり朝ドラが毎日朝8時に放送されていることが日本の朝の風景なのである。

再放送には登場人物による解説副音声が付加されていたので、今日もつい副音声をつけてしまった。通常の副音声は視覚障碍者のための解説になっている。これまで気にしていなかったが、毎朝、副音声で説明してくれている副音声の存在（声・山崎健太郎）に気づけたことが休止中の収穫だった。

『エール』はそれまで週6日だった放送を週5日に減らし、土曜日は総集編になった。それでなくてもトータル回数が短くなった上、放送中断があったためさらに話数が短縮されて全120回になった。

コロナ禍で、重要な役でキャスティングされていた志村けんが亡くなり、脚本が変更になったり、そもそも、その前に脚本家が降板し、チーフ演出の吉田照幸がほか数人の脚本家と複数体制で脚本も書いたりということもあった。途中でスピンオフ（1週間で短編が3本）がはさまるという新たな試みもあった。

異例中の異例は、最終回がコンサート仕立てであったことだ。『エール』は作曲家・古関裕而をモデルにした音楽家が主人公だったこともあって音楽劇のようなムードがあった。以前から朝ドラと音楽とは相性がよく、「歌は世につれ世は歌につれ」のごとく登場人物の生活にその時代の流行歌を取り入れることで、視聴者の共感を獲得してきた。極めつけは『てるてる家族』。各回ミュージカルのような凝った試みが行われた。朝ドラと紅白歌合戦とのコラボも定番で、『ふたりっこ』、『あまちゃん』『ひよっこ』などで行われてきた。『エール』はこれまでの朝ドラにおける音楽の使い方の集大成にも思えるほど、音楽の使い方が物語的にも宣伝的にも研ぎ澄まされていた。山崎育三郎をはじめとした本物のミュージカル俳優を多く起用したことが成功したといえるだろう。これは古関裕而が日本にミュージカルを広めた東宝ミュージカルに多く関わってきたこととの賜物であっただろう。出演ミュージカル俳優たちは東宝ミュージカルに出演している者たちが多かった。彼らは紅白コラボのみならず、ほかの歌番組にも出て歌声を轟かせた。なんといってもドラマの最終回が異例のコンサート仕立て。これについては、「エキレビ!」の最終回のレビューを少し省略して再録する。

窪田正孝が最後まで守り抜いた『エール』の品格
グランドフィナーレは出演者による古関裕而メロディ

演者による古関裕而メロディ

第119回で、ドラマパートは終了。第120回は特別編。出演者たちが、主人公・裕一のモデルになった古関裕而のヒット曲を歌い上げた。

朝ドラでは『てるてる家族』（2003年度後期）がドラマパートのなかに歌い踊るショー形式を取り入れていた意欲作で、最終回をミュージカルのグランドフィナーレのようにして盛り上げた。『エール』のようにドラマと切り離し、コンサートだけ最後に独立させることは異例。

裕一を演じた窪田正孝が司会と指揮を行い、出演俳優たちが美声を披露した。歌唱指導した混声四部合唱のBREEZEのメンバーも参加。歌わなかったが、吟役の松井玲奈と浩二役の佐久本宝も応援で登場した。

以下、楽曲。「とんがり帽子」作詞：菊田一夫　歌：御手洗役・古川雄大、藤丸役・井上希美、夏目千鶴子役・小南満佑子、子役たち／「モスラの歌」（映画『モスラ』劇中歌）作詞：由起こうじ　歌：井上希美、小南満佑子／「福島行進曲」作詞：野村俊夫　歌：古川雄大／「船頭可愛や」作詞：高橋掬太郎　歌：久志役・山崎育三郎　ギター演奏：鉄男役・中村蒼／「フランチェスカの鐘」作詞：菊田一夫　歌：藤堂昌子役・堀内敬子／「イヨマンテの夜」作詞：加賀大介　歌：岩城役・吉原光夫／「高原列車は行く」作詞：丘灯至夫　歌：光子役・薬師丸ひろ子／「栄冠は君に輝く」作詞：加賀大介　歌：藤堂役・森山直太朗、山崎育三郎／「長崎の鐘」作詞：サトウハチロー　歌：音役・二階堂ふみ

楽曲とドラマを復習

「とんがり帽子」第19週。戦後、裕一（窪田正孝）が自暴自棄になっていたとき、劇作家・池田（北村有起哉）に誘われてラジオドラマ『鐘の鳴る丘』の曲を作り、復活した。

「モスラの歌」ドラマでは登場しなかった。史実では、東宝の怪獣映画『モスラ』で双子のデュオ、ザ・ピーナッツが歌って人気になった。古関裕而は舞台のみならず映画の曲もたくさん作った。

「福島行進曲」第9週。東京でレコード会社と契約したもののなかなか芽が出なかった裕一（窪田正孝）が、親友・鉄男（中村蒼）の作詞で、故郷を想う曲を出せた。鉄男の切ない恋の思い出もこもっている。

「船頭可愛や」第10週。なかなか曲が当たらない裕一が最後のチャンスと脅されてなんとかヒットを出せた曲。ディレクター廿日市（古田新太）が見つけてきて歌手にした藤丸（井上希美）が

歌った。ほかに曲を気に入ったオペラ歌手・双浦環（柴咲コウ）が歌うことでヒットした。史実では、環のモデルの三浦環の歌ったものは売れなかった。

「フランチェスカの鐘」劇中では登場せず。古関の自伝では、タイトルに「鐘」のついた曲が多いと振り返っているところで名前があがっている。

「イヨマンテの夜」第23週。駆け足で紹介された、戦後、池田と裕一コンビでたくさんの作品を生んだなかのひとつ。「イヨマンテ」とはアイヌの言葉で「熊祭り」という意味。力強い民族音楽的な曲で、「のど自慢」で多く歌われたという。

「高原列車は行く」第22週。裕一が自由に好きな道を歩むなか、古山家を任され苦労してきた弟・浩二（佐久本宝）。なかなか結婚できなかった彼が、素敵なお嫁さん（志田未来）をもらったエピソードを彩った。役場から裕一が依頼されて作った曲。

「栄冠は君に輝く」第20週。甲子園の歌。戦中、福島に戻って慰問していた久志（山崎育三郎）だったが、戦後は戦時歌謡を歌ったことを気に病み、歌えなくなっていた。それを救いたい裕一が歌ってほしいと頼む。甲子園球場で歌い復活する久志と裕一の友情が泣けた。

「長崎の鐘」第19週。戦争に加担したと悩む裕一が、長崎の医師・永田（吉岡秀隆）と出会い、戦後、どん底から懸命に生きていく人たちを応援する歌を作ろうと決意する。子供たちも一緒に歌うファミリー路線ではじまって、福島関連の曲を集め、今年、開催されなかった甲子園の曲から、再生の祈りを込めた「長崎の鐘」で締めた。福島への想いと、甲子園球児への想い、様々な苦難を味わう日本中の人への思いやりが感じられる曲構成だった。

岩城の声量が圧巻

稀代のヒットメーカーをモデルにしたドラマということで、劇中、歌が歌われる場面が何度もあり、その都度、胸を打った。歌はいつも人を癒し、励まし、再生の道を示してくれる。そういうドラマだったため、歌える出演者がたくさんいた。単に歌手を起用するのではなく、歌も芝居もできるミュージカル俳優の起用が多かった。

第120回のコンサートは、ミュージカル俳優ばかり。古川雄大、井上希美、小南満佑子、山崎育三郎、堀内敬子、吉原光夫……みな、ミュージカルの大舞台を踏んできている。

山崎育三郎は『エール』をきっかけに大ブレイクした。古川雄大は音の音楽の先生を演じたが、〝ミュージックティーチャー〟という呼び名がSNSでも盛り上がった（長いので〝ミュージック・ティ〟で切られてしまうネタが受けた）。

劇中で歌わなかった堀内敬子と吉原光夫は、ともに劇団四季出身で、その歌声には定評がある。今回、ようやく歌う機会があり、実力のほどを見せつけた。

堀内のふくよかでツヤのある包み込むような歌声の素晴らしさ。そして、吉原の圧倒的な声量。これぞ全身楽器という感じで、声の振動がテレビ画面からも伝わってきた。吉原の声は劇場だともっとすごく体に響くので、機会があったらぜひ彼のミュージカルを観てほしい。NHKホールや、演奏者の方々も、コロナで大変だっただろうから、こういった企画によって活躍の機会があってよかったのではないだろうか。照明や美術やカメラなどのスタッフの方々にもこの15分のためにお疲れさまでした、ありがとうと言いたい。

歌はとにかく素晴らしかったが、プロのミュージカル俳優たちが水を得た魚のように力を発揮する活躍の場で、ギター演奏という明らかにアウェーの中村蒼に「大将カッコよかった」と声をかける窪田裕一の優しさが最高の見どころだった。窪田正孝は『エール』というドラマの品格を最後まで守った。

（初出：「エキレビ！」２０２０年11月27日）

実質、最終回は木曜日の回（第１１９回）だったが、ここでもドラマから現実に戻って、裕一ではなく窪田正孝として「世界中を未曾有の不幸が襲う中で『エール』という名でドラマをやる意義を裕一を演じながら感じさせてもらいました」と挨拶した。『エール』が未曾有の不幸のなかで、どれだけ作ることが大変だったか痛感する終わり方であった。次々、いろいろなことが起こるなかで、それでもショウ・マスト・ゴー・オンで最後まで作り上げた。

再開を待ちながら、それでも毎日再放送を見て、ドラマと伴走しようとする視聴者たちが少なくなかったこと、それは朝ドラが単なるドラマを超えて、日常生活に根付いているということ。それを『エール』が改めて証明してみせた。

『エール』『純情きらり』『とと姉ちゃん』など、朝ドラで〝戦争と芸術〟はどう描かれた？

週5日制、コロナ禍による休止、話数短縮、ミュージカル俳優の活躍などが注目されSNSの話題になった『エール』だが、主人公が生業とした音楽が、戦争時どのように使われたか、そこにも注目が集まり、議論のテーマになった。SNSは気軽に発言できるツールであるのと同時に、様々な意見を交わし合う場でもある。戦争というデリケートなテーマを語り合うにはふさわしいかわからないが、誰もが意見を言えるし、思いがけない意見に出会えるという意味では貴重な場である。

朝ドラにおける戦争の描き方

〝朝ドラ〟ことNHK連続テレビ小説『エール』は第17週からかなりシリアスになってきた。裕一（窪田正孝）が軍の要請で戦時歌謡をたくさん作ることに反対する人も現れ、当人もほんとうにいいのか悩みはじめる。

自分では何もできないから、祖国のためにがんばって戦っている人を音楽が力づけることができるのであれば、せめて音楽を作ることで応援したいという一心で、裕一は曲づくりにのめり込んでいく。

歌謡曲では邪魔になった西洋音楽の基礎が、戦時歌謡には生かされ、裕一の曲は多くの人に愛される。兵士を戦地に送り出すにしては哀調を帯びているとはいえ、それが勇ましい歌詞の裏側にある哀しみや心配な気持ちをくすぐるのだった。

現在１０２作まで作られている朝ドラでは、戦時中に青春時代を過ごしたヒロインは31人もいて、それだけヒロインの戦争体験が描かれている。若干不謹慎かもしれないが、疎開や国防婦人会、玉音放送、戦後の闇市などの描写は朝ドラあるあるのひとつである。ヒロインの家族や愛する人が戦地に出向き、戻って来たり来なかったり、その悲喜こもごもがドラマの見どころにもなる。

以前、朝ドラを3作書いた脚本家・岡田惠和に取材をしたとき、朝ドラにおける玉音放送の書き方に作家の個性が出ると聞いた。終戦――しかも敗戦を伝える天皇陛下のお言葉を聞く場面では、たいてい皆、神妙に聞いているが、男性は一様に無念そうな表情をし、女性は少し淡々としていることが多い。印象的な朝ドラは『カーネーション』で主人公・糸子（尾野真千子）は放送のあと「お昼にしよけ」とけろりと台所に向かう。どんなときでも生活――食事が大事であることがさりげなく描かれたいい場面である。『とと姉ちゃん』ではヒロイン（高畑充希）が抑圧されていたものがなくなったとばかり大喜びする描写になっていた。

女性が主人公であることが多い朝ドラでは、夫や息子を戦争で亡くすなど、戦争の被害者の立場が描かれることが多い。よって、与謝野晶子の「君死にたまふことなかれ」という言葉がよく登場する。現在、夕方に再放送中の『純情きらり』では、主人公（宮崎あおい）の友人（松本まりか）が兄の出征時、この言葉の書かれた手ぬぐい（？）を掲げて警察に咎められる場面があった。そんな彼女も戦争が本格化していくと、編集者として、作家を連れて戦地に取材に向かうようになる。状況が人を変えることを描いているのだ。

『エール』は男性主人公で、戦争に加担する側が描かれる。裕一は、人を励ますことができると歌の力を信じて、曲作りによって軍に協力する。そんな彼を作曲家仲間・木枯（野田洋次郎）や、鉄男（中村蒼）は心配する。彼らは戦時歌謡作りに積極的でない。裕一の弟子志望から音の妹・梅（森七菜）の夫となった五郎（岡部大）は「先生には戦争に協力するような歌を作ってほしくありません。先生には人を幸せにする音楽を作ってほしいんです」と哀願する。

最初は彼らの言うことに同意できない裕一だったが、慰問先の体験で、徐々に考え方が変わっていく。それがのちの名曲「長崎の鐘」誕生の萌芽になる。そのためにも戦争描写をしっかり描いておきたいと、チーフ演出家であり、第17、18週の脚本を書いた吉田照幸は語っている。

登場人物たちは、戦争のとき、何を考え、どう行動するか

文学、音楽、絵画等、ものを作っている登場人物たちが、戦争のとき、何を考え、どう行動するか。それを描く朝ドラも何作かある。男性主人公の『ゲゲゲの女房』は戦争で片腕を失くした主人公（向井理）が、戦争体験を漫画に描いて、後世に伝えていこうとする。彼の戦争体験は回想という形で描かれた。

前述の『純情きらり』は、ヒロインがジャズピアノをやっていて、それが敵性音楽とされ、自由に弾けなくなる。また、彼女の音楽の先生（長谷川初範）も陸軍から軍歌を依頼されるが、できた曲が「軟弱」だと作り直しを要求され苦悩する。

『花子とアン』では、ヒロイン（吉高由里子）は敵性語の英語の本を隠して翻訳の仕事を続ける。それがやがて名訳『赤毛のアン』になる。ヒロインの作家仲間（山田真歩）は積極的に従軍記者として戦地に向かい取材する。

『とと姉ちゃん』のヒロインの上司・花山（唐沢寿明）は戦時中、内務省に雇われて戦意高揚のポスターや標語づくりに、画才と文才を活かしたことを後悔し、戦後はその贖罪のような仕事をする。

『純情きらり』には、『とと姉ちゃん』の花山のモチーフである『暮らしの手帖』の花森安治を模したような画家（相島一之）が登場し、やっぱり軍に協力したことの後悔を述べている。彼

の友人でヒロインにとって生涯重要な存在となる画家（西島秀俊）も戦時中、社会情勢と自身の思いとの間で戦い続ける。『純情きらり』は主人公だけでなく、彼女を取り囲む人たちが芸術に携わっていて、ものを作る者たちが創作という自由を阻まれたりコントロールされたときどうするかが描かれていて見応えがある。

『エール』では、軍に協力したくない鉄男や木枯、一度は召集されたが健康上の問題で取り消しになった歌手・久志（山崎育三郎）の今後も気になるし、戦後はGHQの統制下で、日本の再出発、新しい時代の演劇を作ろうとする池田（北村有起哉）が現れてくる。戦争の経験が主人公たちの行動をどう変えていくか。

（初出：「リアルサウンド」２０２０年10月11日）

第8章
『おちょやん』
壮大な伏線回収

2020年11月30日～2021年5月14日（全115回）
脚本：八津弘幸／制作統括：櫻井壮一、熊野律時／プロデューサー：村山峻平／演出：椰川善郎、盆子原誠ほか／主演：杉咲花
あらすじ：明治末、大阪・南河内の貧しい農家に生まれた竹井千代は、幼い頃に母を亡くし、酒浸りで働かない父・テルヲと弟の三人で暮らしている。満足に学校にも通えない千代だったが、9歳のときに道頓堀の芝居茶屋・岡安に奉公に出されてしまう。岡安に道頓堀で大人気の喜劇の天海一座がやってきて、座長・天海の息子で子役の一平と千代は出会う中、初めて見る華やかな芝居の世界に魅了された千代は、やがて女優の道を志すようになる。

テルヲと〝花かご〟の人　毒父と伏線

朝ドラが100作を超えて以降、従来重視されてきたテーマ性やストーリーよりも仕掛けに工夫する作品が増えてきたような気がしている。『おちょやん』はその成功例であろう。大ヒットした日曜劇場『半沢直樹』（2013年、TBS系）を手掛けた八津弘幸が、松竹新喜劇出身の女優・浪花千栄子をモデルにして、彼女の生きた時代、主流であった重量感あるど根性ものや浪花節テイストではなく、現代的な軽やかな物語にアップデートした。そこに至るまでには様々なハードルがあったはずだが、うまくすり抜けゴールした。

浪花千栄子は貧しい家庭に生まれた上、結婚した夫とは夫の不倫の末、離婚して長い間、和解することはなかった。「不倫」は朝ドラで忌み嫌われる行為である。近年では『花子とアン』や『スカーレット』で避けられた。『おちょやん』ではそれをどう描くのか……蓋を開けてみると、夫の不倫相手に子供ができたため離婚するという流れはしっかり描かれたのだ。擁護しようのない夫・一平を演じた成田凌の立場は……と心配されたが（朝ドラでは主人公をひどい目に遭わせた人物には視聴者の厳しい目が注がれる）、それ以前に、彼よりももっと厳しい目にさらされる人物がいた。千代（杉咲花）の父・テルヲ（トータス松本）である。ここでは、毒母ならぬ、毒父・テルヲに注目したい。

テルヲは朝ドラ史上最低の父としてドラマ序盤、ネットニュースを数多く飾った。なにしろ、妻亡きあと、一向に働かず、娘を働かせる。やがて再婚すると後妻の栗子（宮澤エマ）に言われるがまま娘を奉公に出してしまう。

「うちは捨てられたんやない。うちがあんたらを捨てたんや」

自己憐憫に陥ることなく、毅然とした千代（子役：毎田暖乃）を喝采する声がこれまたネットニュースを盛り上げた。

テルヲは年季明け、千代の前に現れ、劣悪なところに彼女を売ろうとしたり、逃げた千代を追って京都まで来てさらにお金をせびったり。やがて自堕落な生活がたたって病にかかり亡くなるのだが、千代とテルヲが仲直りしないところがなかなか辛口な味わいだった。

テルヲの最期の回のレビューを再録しよう。


朝ドラ『おちょやん』テルヲを最後まで良い人にさせなかった千代なりの優しさ

「〜〜おまんらの芝居観にいったらあ。いっちゃん良い席用意しとけ！」

「嫌なこと全部忘れさせてやるさかい、楽しみにしとけ」

朝ドラ史上最低と言われる父・テルヲ（トータス松本）をどう描くか。子どもを育てることを放棄したばかりか、借金のかたに売り飛ばそうとしたり、子どものお金を盗んだりして、酒や博打におぼれてきたテルヲ。最後に良いところを見せて、それでも血のつながりは濃いのだと見せるのか。最後まで許さないのか。千代のお芝居を見て感動するのか。花かごを贈ってきていたのはテルヲだったのか。

……いろいろな可能性があるなかで、選択された流れは――

なかなか辛口だった。テルヲは千代の芝居を見ることなく、留置場で事切れる。

これまでのテルヲの素行を見ると、許されるものではないだろう。ここをめでたしめでたしにしたら、嘘になると心配だった。とはいえ、千代と面会したテルヲは過去を悔い、鼻水まで垂らして泣いている。幼い千代が「うちがあんたらを捨てたんや！」と啖呵きって道頓堀に奉公に出たとき、「うーうー」と唸っていた場面が出てきて、さすがの厚顔なテルヲも子どもにそんなことを言われたことが響いていたことがわかる。こんな人でも、子どもを捨てたことはずっと引っかかっていたのだなあ。

でも、そのあとがいけない。以後、一向に反省が見えなかった。その報いとしてのテルヲの最期は、作り手の踏ん張りを見たように感じる。泣き濡れ、良い人になろうとするテルヲに対して、千代が最後まで、良い人にさせないのである。

「悔しいけど、あんたはうちのお父ちゃんや」と千代に言われて、テルヲは「いつ死んでもええ思うてたのに、未練湧いてしまうやないけ」と大泣きする。すると千代は「しぶといだけがあんたの取り柄やろが。どないえげつない手ぇつこうででも、うちにもっぺん笑てお父ちゃんと呼ばせてみ」とあくまで毅然と返す。

そのあとのふたりの会話がしびれた。

「上等や。やったろうやないけ。病気なんぞあっちゅう間に治して、おまんらの芝居観にいったらあ。いっちゃん良い席用意しとけ！」

「今まで見たことないような面白いもん見せたるわ。嫌なことも全部忘れさせてやるさかい、楽しみにしとき」

辛口だ。甘い言葉がひとつもない。それでいてこのふたりにしかわからない、やっぱり切り離せない何かを感じてしまう。

この場が秀逸なのは、千代はテルヲの個性を生かしたことである。テルヲは憎らしい口をきくほうが魅力的だから、最後に好々爺みたいになったらつまらない。それを本能的に嗅ぎ取った千代は、ここで憎まれ口を叩く。それによって彼女の彼への許せない気持ちも肯定される。いやなヤツはいやなヤツ。許せないものは許せない。それを見事に名シーンにしてみせた。

「千代。おまんはほんまにお月さんみたいやな」

テルヲが洒落たことを言うのは、千之助（星田英利）が千代の俳優としての資質が主役ではなく周囲の芝居を活かす——月のようだと言ったことをちゃんと覚えていたから。

「あいつはな、自分こうからギラギラ輝くような役者やないねん。せやけど、なにゃこう妙にあったこうて、優しい。なんちゅうかな……　う〜〜ん……お月さんのような役者やなあ」（第73回より）

千代の役者としての才能もここで発揮されたことになる。これが役者というか千代という人物の資質なのだろう。千代は、テルヲを最後まで彼らしく、老いぼれて改心した人物ではなく、ちょっとカッコいい反抗的な人にして、あの世に送る。きつい言い方ながら、そこには千代なりの優しさとあったかさがある。

テルヲが死んだ夜は満月。幼い千代（毎田暖乃）といまの千代が煌々とした光に包まれ、「お父ちゃん」と呼ぶ。まるで死神のようで、ちょっと怖い。

この光を見ていて、気づいたことがある。『おちょやん』の白くてきれいな照明は、太陽ではなく月の光なのだろう。千代がいつも空を見上げて「明日も晴れやな」と言いつつ、直接的に青空や太陽が出てこないのは、彼女が月だからなのだ。

それにしても、テルヲがヨシヲ（倉悠貴）のことをまったく思い出さないのは哀し過ぎるけど、だからこそテルヲなのかもしれない。きっとちっとも自分のやってきたことを反省してないのだ。

千代と一平のキス

テルヲが死んで、その弔いに、岡安、福富、家庭劇の人たちが集まってきた。テルヲに千代を頼むと言われたからと言って、テルヲの悪業を笑いながら話す。すっかり、テルヲの死の哀しみが吹き飛んだ。哀しみをまったく引っ張らないところが素晴らしい。

千代と一平のふたりになって、やっと仲良し夫婦感が出る。このとき、千代が一平にキスするのは、事前に演出家と杉咲花が相談し、成田凌には本番まで知らせずに行われたことだと番組Twitterで紹介されていた。するほうもされたほうも照れくさそうで、その表情が生々しい。芝居じゃないところを狙った演出がほのぼの。長らく千代にへばりついていた厄介な父の影がなくなって、千代が解放された気持ちが「あかーん!」と写真のテルヲが叫び、死の哀しみが上書きされた。

この日の『あさイチ』のゲスト中村勘九郎が『おちょやん』を観て泣いていた。勘九郎はそれこそ、父と子の物語を背負っている歌舞伎俳優。番組では勘九郎のふたりの子どもが出てきたり、父・勘三郎の思い出も語られたり、親子三代のエピソードが紹介された。

父・勘三郎は、テルヲとはまるで違うできた人物ではあるが、歌舞伎を通しての親子関係はとても厳しいものであろう。だからこそ、千代の「今まで見たことないようなおもしろい芝居見せたるわ。嫌なこと全部忘れさせてやるさかい、楽しみにしとけ」なんて捨てゼリフは格別に響いたんじゃないだろうか。

２０１１年の『天日坊』の千秋楽、父・勘三郎がサプライズで登場して、それが最後の舞台になった思い出話が泣けた。そこで「テルヲ父ちゃんを思い出しちゃって」と言っていて、やっぱり最初の涙も勘三郎を思い出したのであろう。事実は小説よりもドラマティックだ。

（初出：「エキレビ！」２０２１年３月19日）

こうして辛口で描かれた父との死別だったが、最終回ではテルヲは幻となって千代の晴れ舞台を見守る。千代が様々な苦難をくぐり抜け、大女優となって幸福を手にした余裕の現れであろう。

テルヲ、そして一平。千代は父からも夫からも捨てられるのだが、最後まで「うちは捨てられたんやない。うちがあんたらを捨てたんや」の視点を貫いた。光と影や勝ちと負けは、見方によって変わり得る。『おちょやん』ではこれまで親に捨てられた子供、男に捨てられた女という見方を、自ら捨てることで輝くという考えに転換している。

最終回のレビューに筆者はこう書いた。

『おちょやん』最終回　千代と一平それぞれが人生を出し切った『お家はんと直どん』で大団円

よっ、おちょやん

「生きるっちゅうのはほんまにはしんどうて、おもろいなあ」

終わりよければすべてよし。大団円。貧しい家に生まれ波乱万丈に生きた千代の物語『おちょやん』がついに千秋楽を迎えた。

ラジオドラマで人気者になった千代が鶴亀新喜劇に凱旋。『お帰り竹井千代　笑って泣いて珠玉の傑作集』のとりの演目『お家はんと直どん』が粛々とはじまる。

因縁の一平とのふたりの場面。若い頃、好き合って駆け落ちまで考えたお家はん（千代）と直どん（一平）が年をとってから再会。あの頃の気持ちを噛みしめる。

「もしあのまま私ら一緒にいてたら、どないな人生があったんやろか」

事前の稽古で千代が提案して付け足したセリフの掛け合いも決まった。ところが、千代はそのあとさらに続ける。

「あんたと別れへんかったら、大切な人たちと出会うこともでけへん。あんさんもわたしも愛する我が子と出会うこともでけへんかった」としみじみ言う千代。それを客席から見ている春子（毎田暖乃）。袖では灯子（小西はる）が新平を抱いて見つめている（急にわんわん泣き出しかねない小さな子を劇場に連れてきているのは心配になるが、ここは許容しよう）。

そのあとも即興は続く。

一平「わしのおかげやな」
千代「ほんに、それ自分で言ってどうしますねん」
（…）
一平「おおきに」
千代「おおきに」

などと言い合うふたり。息の合った掛け合いは、さすが、長年の相方の貫禄である。意地っ張りなふたりは、普段言葉にできないことを、舞台の上で役を借りるからできる。これは『おちょやん』の初期からずっとそうで、最終回でその究極の形が出来上がったといっていいだろう。

「生きるっちゅうのはほんまにはしんどうて、おもろいなあ！」

千代が万感の想いを込めて言うと、客席通路にテルヲと母・サエ（三戸なつめ）とヨシヲの幻が。

「千代〜」「千代〜」「姉やん」……ついぞかなうことのなかった親子3人がそろった最初で最

後の3ショット。ここは作り手・渾身の泣きポイント。SNSも沸いた。この場面は何度観ても泣ける。

作り手のすごさといえば、漆原。舞台袖にいるときも、カーテンコールでもずっと顔を隠している。漆原役の大川良太郎が撮影に参加できず代役なのであろう。顔を出さずともなんとなく成立してしまうことがすごい。

出てこない人もいれば出てきた人もいて。ずっとナレーションをやって来た黒衣（桂吉弥）が舞台袖にいてもらい泣きしている。この人、ずっと劇団の黒衣として働いていたのだろうか。いや、きっと、舞台をずっと見守っている舞台の妖精なのだろう。黒衣は影の存在だけれど、この物語に、お芝居に、あたたかい灯りをともしてくれていた。

千代は芝居で一平に勝った

千代と一平は演劇を通して、自分の人生を肯定した。しんどいことがあっても、失敗しても、前を向くしかなく、そこで出会った人たちや出来事を大切にして生きていく。

あんなにひどいことをした一平を赦した千代は立派である。そうはいっても彼女の赦し方はなかなか手厳しい。『お家はんと直どん』のあの即興場面は俳優として一平に勝負を挑んだ場面と見ることができるからだ。

思い出してみよう。一平は即興をあまり好まない演劇人であったはずである。演劇を、俳優の面白さとしてきた千之助のようなやり方を好まず、台本のおもしろさで勝負したいと考えていた。それが、今回は千代の即興セリフでリードしていく。もちろん千代の特別出演回だから、彼女を立てて当然なのだけれど、「たとえ1日でもやるからには手ぇ抜けへんで」「望むところだす」と一平と千代は言い合ったのだから。

結果的に、千代のこれまで生きてきた積み重ねをすべて出しきったことがこの芝居の魅力になって、一平との物語もその一部になった。千代は芝居で一平に勝ったといえるだろう。ただ、一平も負けたわけではなくて、『桂春団治』で自分の人生をさらけ出した代表作を作りあげた。つまりそれぞれが人生を出し切った勝負作を作ったということ。

男に裏切られた女性がたくさん出てきた

普段言葉にできないことを、舞台上で役を借りたらできる。もしかしたら、舞台のほうこそ真実で、現実はかりそめかもしれない。そんな舞台の魅力と可能性を描いて来た『おちょやん』にはたくさんの劇中劇があった。

千代が演劇を好きになったきっかけは『人形の家』で、主人公ノラが与えられた妻や母の役割ではない、自分自身の義務を行う決意をする物語は、戦争のとき、千代を励ました。

舞台のエピソードのひとつとしてもうひとつ印象的なのが、千代の演劇の師匠・山村千鳥（若村麻由美）の十八番『清盛と仏御前』である。平清盛の寵愛を受けた仏御前が彼に捨てられて京都嵯峨野の祇王寺で尼になる物語であった。だが仏御前は「そうして私はだんだんと上様に捨てられていくのでしょう」と嘆きながら「私はまだ死にませぬ。生き栄えてゆかねばなりませぬ」と前を向く。今思えば、千代の人生を暗示していたようでもあった。千鳥自身も結婚していたが夫が愛人をつくったため離婚して俳優として身を立てていた。

ほかにも鶴亀家庭劇に一時参加していた高峰ルリ子（明日海りお）も婚約者を若い劇団員に奪われ、劇団を追われた。このように、『おちょやん』ではおりにつけ、男性にほかの女性ができて傷ついた女性が登場した。彼女たちは瞬間瞬間、千代に鮮烈な印象を与えて去っていく。

最終回の時点で、千鳥もルリ子も姿を見せない。それが少しさびしい。でもきっと彼女たちは千代のなかで生きていて、男性に裏切られた女性の恨み、辛みを、全部まとめて千代が、『お家はんと直どん』で成仏させたと解釈すればまとまりがいい。『おちょやん』は積年の恨みを抱えた女たちの逆転勝利の物語だったのだ。

（初出：「エキレビ！」２０２１年５月14日）

このレビューのように「倍返しだ」の名セリフで『半沢直樹』を逆転劇として大ヒットさせせ

た八津による朝ドラは、主人公が不幸な運命に何倍返しもするドラマとなった。その逆転劇の痛快感は、花かごを千代に送ってくるのは誰かという「考察」を伴った末のこれまた逆転劇によって優れたエンターテインメントとなった。

花かごの人は、あの栗子であった。栗子回のレビューを再録する。

朝ドラ『おちょやん』紫のバラの人は栗子だった カタストロフィーからカタルシスへ——見事な逆転劇

千代、リスタート。もう一度俳優をやることを決意し、花車当郎（塚地武雅）主演のラジオドラマ『お父さんはお人好し』の顔合わせで気張って挨拶。時に昭和26年、3月のことであった。

顔合わせ当日、千代は出かける前に栗子から花かごを受け取る。京都の撮影所時代から折につけ花かごを送っていたのは栗子であった。

因果はめぐる。千代の不幸のはじまりをつくった張本人・栗子が巡り巡って千代を支えて、絶望の淵から立ち上がらせる。カタストロフィー（破滅）からカタルシス（浄化）へ——見事な逆転劇となった。

栗子が紫のバラの人だった

頑なに出演を拒む千代に「お芝居はもうつらい思い出でしかあらへんのですか。……残念です」と作家・長瀬（生瀬勝久）はつぶやき帰っていった。千代にとって、お芝居がつらい日々をひととき忘れ、変えていくものだったのが、いまや楽しかった日々を悲しみに変えるものになっていた。その気持ちを変えたのは、春子と栗子。春子が作文を千代の助言で読めたと大喜びで、まりのように跳ねて帰ってきた。「これからも私のそばにおってな」と春子は千代に抱きつく。その温かみが千代の凍てついた心を溶かしていく。

昭和26年3月、『お父さんはお人好し』顔合わせのとき、栗子が花かごを差し出す。千代が俳優をやっていることを知ったとき「うれしゅうて、涙が止まらんかった」と本音を明かす栗子。こっそり芝居を観て元気になって、名乗らず花を送り続けてきた栗子。花は栗子なりの贖罪だったのだ。1年前、千代が雨やどりしている場所に突然迎えに来たのも、彼女をずっと見ていたからだった。

「わてはあんたの芝居が大好きやねん」

栗子は千代の芝居に元気をもらいながら応援を続け、千代の生涯最大のピンチを救った。千代と栗子は離れていても影響を与えあっていた。

つらいことを乗り越えてきた千代と栗子の和解とシスターフッドの芽生え。花かごは、有名な演劇漫画『ガラスの仮面』で、主人公に紫の薔薇を贈る人のオマージュではないかと、SNSでは、紫のバラの人予想が盛んに行われていた。一平説、テルヲ説、ヨシヲ説などあったが、男性が女性を支えるパターンではなく、貧困に苦しんだ女性同士が支え合っていたことになったのは、令和の物語らしいと言えるだろう。

大いに励まされた千代は「たったいっぺんつらいことがあったからて、それがなんだすねん」と顔合わせで挨拶する。強気の千代の復活である。

栗子の魅力を深める宮澤エマの芝居

ラジオドラマに出演することが決まった千代は、台本を読んで、千代なりに解釈して、いろいろ書き込みをして夜を明かし、ちゃぶ台の上に突っ伏して寝てしまう。その書き込みを見て、しんみりする栗子。芝居が好きな千代と、その千代の芝居が好きで理解者である栗子の関係が、短い場ながら強く伝わって来た。こういう演劇愛にあふれた場面がこれまでももっとあったなら……。

栗子は千代が芝居を辞めるきっかけになった千秋楽を観に来ていた。そのときの栗子の目線に注目したい。千代を凝視した目線が一瞬上手方向に動く。おそらく隣の一平のことも見ている。そう、こういうとき、何があった?と相手役のほうも見るものだ。宮澤エマの目線にドラマがあった。千代との会話でもちょっと目線を逸らすなど、栗子がやや千代に気が引けているところがあることを感じる瞬間などがあって、栗子の魅力を深めている。

宮澤エマは２０２２年度の大河ドラマ『鎌倉殿の13人』にも出演が決まっている期待の俳優。元首相・宮澤喜一の孫で、世間の認識としてはＤＡＩＧＯと同じようなポジションのようなところもあるが、ミュージカルで鍛えた実力派。美しい高音の持ち主で、三谷幸喜のミュージカル『日本の歴史』（今年再演がある）でも大活躍した。近年はミュージカル以外の作品でも活躍、大竹しのぶの『女の一生』にも出演して、明治時代に貿易で財を成した資産家の次女役を艶やかに闊達に演じていた。

天海祐希きたーーー

とにかく、画面を明るく爽やかにしようとしていることが伝わってくる。もともと照明はできるだけ明るくしているのを感じたが、千代復活編になって、小道具にも変化が。栗子の家に青い野菜が配置されているのもそのひとつ。千代がふきのとうの下ごしらえをしていて、台所にも野菜がある。おまけにガスの青い火まで灯っている。みかんもある。瑞々しいものがあるだけで気分が変わる。

栗子は花もきれいに活けている。花かごのセンスの良さも栗子だったからだとわかる。千代が春子の髪の毛を結ってあげている画もほっとする。花、青物、おしゃれ……やわらかいものが注がれていくのは千代だけではない。視聴者の心にもどっと流れこんで来たはずだ。

ラジオドラマに出演候補にあがっていた人気女優・箕輪悦子（天海祐希）がポスター画像出演のみで終わらず、ワンカット天海祐希が出てきた遊び心も楽しかった。

（初出：「エキレビ！」２０２１年4月30日）

テルヲ、一平と情けない男たちを打ち捨てて強く生きていく千代。『おちょやん』では千代のみならず、多くの女性たちが、男性に依存しない生き方をしている。

最初は、テルヲに寄生するようにやって来て、千代を家から追い出す栗子が、最終的に千代とシスターフッド的な関係を築くことになる。栗子もまた、千鳥やルリ子と同じように〝女〟という当時は不利な立場で苦労した者なのだ。

栗子はテルヲ以上に業の深い人物ではあった。彼女が後妻に来なかったら、千代は奉公に行くこともなく、貧しく学校にも行けないにしても父と弟と3人で暮らせたかもしれない。いや、遅かれ早かれ一家離散はしていたかもしれないが……。それはともかく、栗子が今度生まれてくる自分の子供のために、前妻の子を邪魔にして、千代は売られてしまった。

ドラマの後半、千代を応援するように匿名で花かごを送り続けていた人物が栗子だったとわかったとき、ドラマとＳＮＳが一体化するように盛り上がった。半年間の長いドラマ、最後の最後で溜まっていた疑問が解消するのは格別な快楽である。最初のうちは、千代よりも、一平をはじめとした芸人たちの物語が濃密で、万太郎（板尾創路）と千之助（星田英利）の確執などが丹念に描かれていて、それもいいけれど、朝ドラだったら力を入れるのはそこではないのでは？と思うこともあったが、結果的には栗子でうまく最初と最後をつなげた、作家の構成力は称賛に値する。この成功例がのちの『おかえりモネ』『カムカムエヴリバディ』にも踏襲されていくのである。それは「伏線」の快楽である。

第9章
『おかえりモネ』
東日本大震災からの10年

2021年5月17日～ 2021年10月29日（全120回）
脚本：安達奈緒子／制作統括：吉永証、須崎岳／プロデューサー：倉崎憲／演出：一木正恵、梶原登城、桑野智宏、中村周祐、押田友太、原英輔、舩田遼介、田中諭／主演：清原果耶
あらすじ：宮城県気仙沼湾沖の離島で育った永浦百音（モネ）は、高校卒業後、島を出て登米の森林組合の見習い職人として働き始めるも、震災のときに地元にいなかった負い目と自分が進むべき目標が持てない悩みを抱えている。そんなある日、東京からやってきた気象キャスターの朝岡と出会い、山の天気を正確に的中させる姿に驚く。朝岡の話す気象予報の話に感銘を受けたモネは、天気予報士の資格の勉強を始め、自らの殻を破っていく。

『おかえりモネ』は生き残った者たちの物語である

「東日本大震災」という共通喪失体験

朝ドラに欠かせない要素のひとつに「喪失感」がある。朝ドラ最大の「喪失感」は長らく「戦争」だった。実体験した人にとってどの程度の描写なら共感という〝自分ごと〟として物語を愛してもらえるか、作り手は創意工夫をこらしてドラマ化してきたと感じる。ときに、生々しく辛いという声があれば控えめに、ときに、客観的に観られる時代が来たら、すこし描写多めに。そんな朝ドラに変化が起こったのは2011年以降であろう。新たな日本人の共通喪失体験が誕生した。「東日本大震災」である。『おひさま』（2011年度前期）の放送直前にそれは起こり、執筆途中だったドラマの内容にも影響があったと聞く。

震災をはじめて朝ドラで描いたのは2013年度前期の『あまちゃん』だ。舞台は東北の架空の街・北三陸市で、2008年、主人公アキ（能年玲奈、現在はのんに改名）が母・春子（小泉今日子）

に連れられて北三陸市にやって来ることからはじまり、終盤、２０１１年、3月11日の出来事が起こる。あきの親友・ユイ（橋本愛）が東北から東京に向かったときに地震が起きるのだ。

　東京に憧れながら地元を離れられないユイと、東京生まれながら祖母や母の地元が好きになり、被災した地元の再生に奮闘するアキ。哀しみを背負ったユイとなんとか救いたいと思うアキのふたつの切実な気持ちが合わさって強い力になり、観る者の心を震わせた。歌声と共に復活の祈りが空高く響き渡るような、そんなドラマになった。『あまちゃん』については拙著『みんなの朝ドラ』に詳しいので、そちらも合わせて読んでいただければ幸いである。

『あまちゃん』放送時は震災から2年が経過していた。なおまだ当時の記憶が色濃く、震災の表現は極力、直接的ではない配慮がされた。ジオラマを使って被害の様子を感じさせたり、トンネルの向こうは見せずに、ユイの表情だけを見せたりしていた。朝ドラに限らず、震災の描き方はどこまでどのように描くのかが作り手の課題であろう。いまだに様々なドラマで試行錯誤が行われている。

　朝ドラで次に震災が描かれたのは、２０１８年度前期の『半分、青い。』だ。東北を舞台にして復興を応援する意味合いの感じられた『あまちゃん』と比べて、こちらは予想外の震災描写であった。長野から上京したヒロイン鈴愛（永野芽郁）が漫画家アシスタント生活を通して友情を育んだユーコ（清野菜名）がやがて転職し看護師となって福島に赴任。そこで被災する。地震発生時、病院にいたユーコは、津波が来ても逃げられない患者に最後まで寄り添う選択をする。それがその後、鈴愛が人にやさしい扇風機を発明するきっかけとなった。

切迫した状態からケータイ電話の留守電に録音されたユーコの鈴愛へのメッセージが涙を誘った。その一方で、東北を舞台にした応援企画ではなかった『半分、青い。』で終盤、ある種、唐突に描かれた震災は賛否両論を呼んだ。1971年に生まれた鈴愛の成長を現代まで描くと事前にアナウンスされていて、2011年も通ることは想像できないことはなかったが、描かない選択もあるであろうなか、『半分、青い。』は描いたのだ。その必然性はいくつも考えることはできる。そのひとつに、ユーコを演じた清野菜名の存在を挙げたい。

清野菜名が震災と関わる役を演じたのは『半分、青い。』が2度目になる。一度目は、2017年、テレビ朝日系で放送された昼の連続ドラマ『やすらぎの郷』（脚本・倉本聰）だった。高級老人ホームで晩年を過ごす脚本家・菊村栄（石坂浩二）の視線を通して、様々な老人たちの過去と今を描く群像喜劇のなかで、清野は脚本家志望の榊原アザミを演じた。彼女は「手を離したのは私」という脚本を書き菊村に見せる。それは津波が来たときに祖母とつないだ手を離し自分だけ生き残ってしまったことへの悔恨を描いた壮絶なものだった。あまりにも生々しいそれに菊村は衝撃を覚え、作家として刺激を受ける。視聴者としても彼女の描いた物語は衝撃で、倉本聰の作家としての会心の一撃だったとも感じたし、『やすらぎの郷』はこれを描ききたいがために生まれたドラマなのではないかと思うほどだった。

百音と妹・未知の「喪失」

「喪失」と一口に言っても、いろいろな「喪失」がある。なかでも、誰かを助けることができずに自分だけ生き残ったときの喪失感はいかほどか。そのある種の罪悪感のようなものとどう向き合っていくか。東日本大震災以降、それは様々な物語のひとつのテーマになっているように感じる。なぜなら、いま生きている私たちは全員、生き残った者であるからだ。誰かの死の上に自分の生があるという普遍的な事実をリアルに感じて生きている。そんな私たちがどうしたらいいかその答えのない問いを求めて物語が生まれ続けている。『おかえりモネ』もそのひとつであろう。

東日本大震災から10年が経った2021年、『おかえりモネ』は朝ドラではじめて、震災と真正面から向き合うドラマを作った。舞台は宮城県の気仙沼と登米、ヒロイン百音（清原果耶）は震災のとき、たまたま高校受験の発表を見に本土に行っていた。そのため、家族や同級生と共に地震で損害を受けた街や住民のために活動することができず、「私、何もできなかった」と後ろめたさのような疎外感のようなものを感じる。追い打ちをかけるように、妹・未知（蒔田彩珠）から「お姉ちゃん、津波見てないもんね」と突きつけられて、ますます罪悪感のようなものが大きくなってしまう。

震災前は積極的で明るく、幼馴染のリーダー格のようでもあった百音が、震災後、すっかり塞いで、好きだったサックスをしまい込み、高校3年間、抜け殻のように過ごす。何がしたいか未来が見えず彷徨い続ける百音は、登米の森林組合で働き、沢山の人と触れ合ったことをきっかけに気象予報士を目指す決心をする。一時は東京のテレビに出演し活躍するも、地元に根ざした情報を地元のために伝える仕事をしたいと考え、2019年、気仙沼に戻る。

百音の絶望と再生の物語と思わせて、終盤、ドンデン返しがある。序盤で登場した妹・未知が抱える悩み（「お姉ちゃん、津波見てないもんね」）が重大な鍵になっていた。もうひとつの鍵は、祖母（竹下景子）の存在である。震災のとき祖母は「おばあちゃん　おばあちゃん」と未知にどんなに呼ばれても身動きひとつせず、うなだれたまま縁側に座っている姿が回想として何度も繰り返し登場したが、そのあとの祖母の動向は最終週までいっさい語られることはない。震災で祖母は亡くなったわけではなく、震災を生き残り、その後、病気で亡くなっているため、その場面は奇妙な謎を残す。

祖母の回想場面と未知の「お姉ちゃん、津波見てないもんね」の2点が重なったとき、百音は未知が9年間、抱えていた悩みの全貌を知る（ドラマ内では2020年になっている）。津波が来たとき、未知は祖母を置いてひとりで逃げたことに罪悪感を抱き続けていた。でもそれはあまりにも重く、他者に明かすことすらできない。「お姉ちゃん、津波見てないもんね」はそのかすかなとばロであった。でもそれ以上は言えなかった未知。百音はそれを自分が責められていると勘違いしたこともあっただろうし、その言葉の裏にある未知の想いが気にかかってもいたのではないだろうか。姉を責めているようで実は未知は自分を責め続けていた。この9年間、百音がどうにかして埋めようともがいてきたことは、自分が当事者になれなかったことそのものと同時に、当事者の気持ちを知る術がないことだった。でも9年経って、ようやくたったひとりで抱えていた想いを語ることのできた未知を観て、百音は妹のつらい想いに寄り添い続ける決意を固める。

〝生き残った者たち〟の視点

当事者と非当事者は、どうしてもお互い距離をとり合ってしまう。ドラマをつくるときも、当事者感覚を大事にしたいと思うものの、当事者でない者にそれが完全にわかるわけはないため、どうしても遠慮がちになるようだ。『おかえりモネ』にもそういう意識が感じられ、やや腫れ物に触るような慎重さが感じられた。それは、わかったような身振りで描かないということだ。わからない。でも、無関係だと放っておくことはできない。埋められない溝にどう対処したらいいか。そんなとき、例えば、〝生き残った者たち〟という視点に立ったらどうだろうか。そうすれば誰もが当事者になる。そこに視点を定めた物語をいくつか挙げてみよう。

ひとつは、清原果耶が重要な役で出演し、数々の映画賞を獲った映画『護られなかった者たちへ』（2021年、瀬々敬久監督）がある。生活保護をテーマにした物語で、〝護られなかった者〟

とは主として被災地で貧困に喘ぐ者たちのことなのだが、実はそれだけではない。

もう一作は、アカデミー賞候補にもなった、村上春樹の小説を原作にした映画『ドライブ・マイ・カー』（２０２１年、濱口竜介監督）である。これは直接的に震災を描いてはいないが、生き残った者の物語である。亡くなった妻の秘密に苦悶する主人公・家福悠介（西島秀俊）はやがて、愛車・サーブの運転手として雇った渡利みさき（三浦透子）が抱えている悩みを知る。

『護られなかった者たちへ』も『ドライブ・マイ・カー』も『おかえりモネ』も、どれも生き残ってしまったことに苦しんでいる人物の物語だ。長い時間、彼らはいっさい、その片鱗を見せない。ただ何かを抱えていることだけしかわからない。このことが作劇上の序・破・急の急の部分として機能するということよりも、誰にも口にすることができないで過ごした長い長い時間に力点が置かれていると考えていいだろう。登場人物が誰かに自身の秘密を語ることができたとき、物語は、映画は、ドラマは、言葉にできなかった気持ちを吐露できる装置となる。無理して話さなくていい。言いたくなったときに話すことでもしもすこしでも楽になれたら……。物語と人がふとつながる瞬間の意味をそこに見たように感じた。

『ドライブ・マイ・カー』の濱口監督の著書『カメラの前で演じること』（左右社、２０１５年）に興味深い記述がある。濱口監督は、「東北記録映画三部作」（『なみのおと』〈２０１１年〉『なみのこえ気仙沼／なみのこえ新地町』『うたうひと』〈ともに２０１３年〉）を制作したときに被災者の方々を取材した監督は〝「より苦しい思いをしたであろう」他者を想像することが、人の口をつぐませているようにも見えた。〟と見解を述べている。これを読んだとき、『おかえりモネ』の百音のセリフ「私、何もできなかった」もより苦しい思いをした人を慮って何も言えない、何もできなくなった人の言葉なのではないだろうかと気づいた。「お姉ちゃん、津波見てないもんね」は言えない者の渾身の一言なのではないだろうか。

『おかえりモネ』では熟慮に熟慮を重ねたすえ、ふたりの姉妹にこのセリフを託したのではないかと思う。精一杯の一言を抱えた百音と未知が9年経ってようやくぽつりぽつりと他者に想いを語るところで『おかえりモネ』は幕を閉じる。正確にはその年、2020年に世界を襲った感染症（劇中では「感染症」になっているが「コロナ禍」を想起させる）に翻弄されるところまでも描いていて、その病（やまい）はさらに人類に言えない言葉を増やしていくことになるのだが、それでも最終回では清々しい海と空と共にいる百音や未知や菅波（坂口健太郎）は笑顔で生きている。

「#俺たちの菅波」と亮の救済

百音には菅波が、未知には亮（永瀬廉）という共に生きる人がいる。

研修医・菅波は百音の言葉にできない胸のうちを慎重にていねいに優しく紳士的に傾聴したり意見を交換したりすることで整理していく役割を担った。菅波自身もパーフェクトな人物ではなく、過去に自分の信念によって患者の未来を変えてしまったことを悔いている。それを百音に話すことで救済されている。出来事の大小や誰かと比較した規模などに関係なく、自分の体験や想いを誰かに話すことで救われることもあるのだ。

菅波がSNSで自然発生した「#俺たちの菅波」として絶大な人気を誇った理由は、彼が物語のなかで百音の聞き役であるのみならず、視聴者の気持ちも受け止めてくれるように感じられる存在だったからではないだろうか。あるいは自分たちも彼のような存在でありたいという願いもあったかもしれない。坂口健太郎の聡明な演技によって、事象を判断することなくありのままに受け止めたものが提示されたことが支持されたと感じた。とても今日的な表現である。

一方、亮。彼は百音と幼馴染で、彼女に密かに想いを抱いていた。それがあるとき「わかってんでしょ」と自分の想いに応えてほしいと百音に助けを求めるエピソードがあり、亮の刹那的な言動は物議を醸した。亮がそうなる理由ももっともなところもあるのだ。震災で母（坂井真紀）を亡くし、尊敬していた父（浅野忠信）が酒浸りで仕事を辞めたため地元で粛々と漁師の仕事をするしかないのだから。嫌いな仕事ではないが、母はいないし、父にも頼れない状況は彼にストレスを与え続ける。でも誰にも何も言わず、震災前のスマートで明るく人気者の亮ちんをキープし続けてきた彼がふと甘えようとしたとき、百音は毅然と拒否する。見ようによっては冷たい対応ではある。だが百音は亮のそれを受け止めたら、このまま亮がほんとうの心の内を出さないいまま、明るい亮ちんのままでい続けることになると気づいたとも考えることができる。亮の心の壁を守ることではなく彼がすべてをさらけ出す役割を、長いこと亮を見つめてきた未知に委ねる百音。適切なときに適切な相手に出会うことが大事なのである。

ジャニーズのアイドル、永瀬廉が深く癒えない傷を抱える役のみならず、利那的に助けを誰かに求めるようなか細い糸のような役を演じたことが印象的だった。

SNSで無邪気に感想が書けない時代の物語

『おかえりモネ』を観て、賛同にしろ批判にしろ、はっきり言葉にして、議論できることは幸せなことなのだと痛感する。何も語れず、口をつぐむしかない沈黙と、同時に、言葉にすることで互いを傷つけ合う喧騒。このふたつが私たちを苦しめる。

東日本大震災が起きた当時、Twitterは他者の安否を気遣い、情報を交換するツールとして用いられて広がった。その2年後に放送された『あまちゃん』ではドラマをみんなで楽しむツールになったことを拙著『みんなの朝ドラ』に書いた。誰もが気軽に素早く意見を発信できるTwitterにはその特性から徐々に様々な意見が溢れ、それがやがて激しくぶつかり合い、傷つけ合う場にもなっていった。

140文字の制限や、思いついたことを熟考しないままつぶやくシステム（修正ができない）によってうっかり舌足らずなことをつぶやいたり、誤ったことをつぶやいたりすると、その緩みをついて一気に批判が殺到する。それをおそれて沈黙する人たち・サイレントマジョリティーも多く存在している。

２０２２年4月19日に「現代ビジネス」で公開された稲田豊史による「ＳＮＳで「無邪気」に感想が言えない…Ｚ世代の「奇妙な謙虚さ」」という記事が興味深かった。Ｚ世代へのインタビューで、Ｚ世代代表で取材を受けている人物がこのタイトルどおり、ＳＮＳで無邪気な感想を書くと批判されるため気軽に感想を書けないと語っている。無邪気な感想を許容しないのは上の世代で彼らが冴えた発言をしているTwitterはもはやＺ世代の主流の場ではないようだ。『おかえりモネ』はまさにそんなふうに何も言えなくなってしまった私たちの物語だった。

『おかえりモネ』百音と菅波に込められた幸福への祈り “命そのもの”を感じるセリフの数々

百音と菅波の関係に込められたメッセージ

“朝ドラ”こと連続テレビ小説『おかえりモネ』(NHK)の放送も残り1カ月強となった。すっかり登場人物たちに愛着が深まっている今、毎日15分を大切に見ている。気仙沼の架空の島・亀島生まれの主人公・永浦百音(清原果耶)が気象予報士になって、東日本大震災のような予想を超えた出来事から地元を守ろうとする物語。その舞台は、山の町・宮城県登米からはじまり、海の町・気仙沼を経て東京、そしてまた気仙沼に戻ろうとしている。第18週89回では、朝の情報番組「あさキラッ」の天気番組のリーダー・高村(高岡早紀)が気象予報士の仕事は「これから起きる被害を最小限に食い止めることよ」と言っていた。データを集め分析し未来を予測することで、たとえ自然災害から逃れようがないにしても避難したり備えたり何らかの対抗策を講じることができる。百音の仕事は人類の希望を切り拓く仕事である。

東日本大震災から10年というひとつの節目に企画されたドラマにふさわしく祈りを込めて誠実に作られていると多くの視聴者が感じていることだろう。自然災害への備えについてはドラマでなくてもNHKでは頻繁に注意喚起する番組を放送している中、テレビドラマでもそれをテーマにしたものを作る場合、テレビドラマだからできることは人間ドラマであり、とりわけ恋愛描写ではないだろうか。東京編に入ってからSNSでは「#俺たちの菅波」というハッシュタグが生まれ百音と仲の良い菅波光太朗（坂口健太郎）の人気が上昇した。百音と菅波の関係に多くの視聴者が心を動かしている。

菅波は序盤の登米編から登場しているが最初は百音に歯に衣着せぬ事を言っていた。それは自分の過去の悔恨からきたもので百音に過去の自分を重ねて心配していたことがあとでわかる。百音は菅波がいやな人とは最初からあまり感じていなかったようで、年の差は10歳くらい違う（あとで6、7歳差であることがわかる）ながらむしろ言いたいことを言い合える相手のようであり、気象予報士の勉強を手伝ってもらうことで徐々に気のおけない関係になっていった。百音が東京に来てからようやく恋愛感情を意識して行動に移せるようになり、コインランドリーで洗濯ものが仕上がるまでの間、蕎麦屋でランチしたり抱きしめたり、極めて控え目なつきあい方がじつに微笑ましい。正式に交際をはじめて3年ほど、2019年では登米と東京で遠距離恋愛だが互いの呼び方を「永浦さん」から「百音さん」、「先生」から「光太朗さん」に変えて関係は進展中である。

百音は仕事の悩みを菅波に相談している。震災と仕事とシリアスな問題と並行してふたりの恋は育まれていく。見方によってはあまりに並行して描かれていて、震災のことも解決していないし、それに関わる仕事もはじめたばかりで、恋の描写に重きを置き過ぎではないかと感じる視聴者もいそうだが、百音と菅波の生真面目な交際を見ていると、筆者は劇作家・井上ひさしの『父と暮せば』を思い出し見守りたい気持ちになるのである。『父と暮せば』のヒロインは広島原爆投下から生き延びたことに罪悪感を覚え、終戦後3年経っても自分がしあわせ（戯曲では開いているのでそれにならいます）になってはいけないと遠慮しながら生きている。良さそうな男性が現れても積極的になれない彼女を父は心配する。この戯曲でヒロインはくり返し自分はしあわせになってはいけないと言い続ける。それだけ原爆の体験は彼女にとって大きく失ったものは多い。父の望みはただひとつ娘がしあわせになることである。このシンプルに生き残った者はどうするべきかが描かれた戯曲と『おかえりモネ』がどこか重なるのである。百音は震災の日、たまたま本土にいて地元の家族や友人たちと同じ体験をしていない。妹・未知（蒔田彩珠）からは「お姉ちゃん、津波見てないもんね」と距離を置かれてしまい胸を傷める。中学3年のとき震災があってから高校3年間、百音はふさぎ込んだままで、大学受験に落ちると活路を求め登米で就職した。そこで菅波を含む様々な出会いや経験をして少しずつ生きる気力を蘇らせていく。彼女をとりまく誰もが百音を決して急かすことなく見守っている。登米で彼女と暮らすサヤカ（夏木マリ）は「ゆっくりでいいんだ」と言っていた。そんな百音もまた菅波の過去の失敗を癒やす役割をすることができた。気象予報士の同僚・内田（清水尋也）が「生きてきて何もなかった人なんていないでしょう。何かしらの痛みはあるでしょう」と第78回で言うように大なり小なり人は傷ついている。だからこそ誰もが幸せになっていい。いや、なるべきだ。だから百音が菅波と出会っておずおずと慎重なまでに慎重に近づいて触れ合って心を委ねていくことは、単なる恋愛描写のみならず、人間の幸福への歩みであって、だからこそ多くの人が応援したいのだとおもうのだ。百音と菅波の姿は互いを支えたいあるいは守りたいという感情の象徴なのではないだろうか。

〝命そのもの〟を感じる亮や未知の言動

百音と菅波――とりわけ菅波は頭でっかちなところがあったが百音はやがてただただこの手を掴みたいというような本能的な衝動に突き動かされることになる。『モネ』で特徴的なのは恋愛描写が本能的であることだ。百音の衝動のきっかけを作ったのは幼馴染の亮（永瀬廉）に一瞬の慰めを求められた時である（第79回）。理屈では百音にはほかに好きな人がいるようだとわかっているが、いろいろあって辛い気持ちをこの瞬間だけ慰めてもらいたいという本能。それを見て未知は「お姉ちゃんは正しいけど冷たいよ」と百音に言い、「私がそばにいる」と亮への本気度を再認識するのである。おそらく未知ならその場限りでも亮の想いを受け止めたであろう。また高校時代に一瞬つきあった明日美（恒松祐里）もそうだったのだろうと第79回からは感じられるようだ。具体的な言葉はほぼないまま、肉体の内側からじわじわとにじみ出る、正しいとか正しくないとかは関係ない〝熱〟のようなものの描写を朝15分間の朝ドラで描くことはなかなか難しい。が、百音と未知と亮と明日美と菅波から発せられる熱と鼓動は春先いっせいに植物が芽吹いていく時のようなむせ返るような空気を作り出していた。その舞台が湿度の高い銭湯とコインランドリーであることもじつに隠喩的で……。

ここで筆者が思い浮かべたのは、『おかえりモネ』と同じ安達奈緒子が脚本を書き、清原果耶が主演した土曜ドラマ『透明なゆりかご』の第2回である。ここには未知役の蒔田彩珠が出産した子を捨ててしまう高校生を演じていた。このときの清原演じる主人公のモノローグが印象的なのだ。

「今でもよくわからない。わたしのなかになにが生まれていたのか。菊田さんのなかになにが生まれていたのか。あの子のなかになにが生まれていたのか。その生まれたなにかに突き動かされてとった行動が正しい選択だったかどうかはわからない。でもそのとき感じたことに嘘はないと思う。わたしたちはたった一瞬でもおもったんだ。目の前の小さな命をたまらなく愛おしいって」

蒔田が演じたのは〝あの子〟と呼ばれる人物である。原作（沖田×華『透明なゆりかご 産婦人科医院看護師見習い日記』）では主人公のモノローグが違っている。趣旨は同じだがドラマ版のほうが長く書かれている。〝その生まれたなにかに突き動かされてとった行動が正しい選択だったかどうかはわからない。でもそのとき感じたことに嘘はないと思う。〟その瞬間だけの真実は命そのもので、私たちはその積み重ねで生きている。守るべきものとは何か。その基準は役に立つとか立たないとかではなく、この世に瞬間瞬間煌めいている命――すなわちすべてである。亮や未知の衝動的な言動はそんな命そのものだと感じるのだ。『おかえりモネ』が優れているのは、原始から続いてきた生き物の生存本能のみに身を任せることなく、人類が積み重ねてきた叡智を駆使するところにもある。頭もカラダもフル稼働して私たちは生きていかねばならぬと『おかえりモネ』は手を差し伸べる。

（初出：「リアルサウンド」２０２１年９月18日）

『おかえりモネ』百音と菅波のように、人々もまた手を繋いで歩き出せるように——祈りのような終幕

作り手が大事にした出来事への距離感

最終回。未知（蒔田彩珠）の大学進学を祝うため百音（清原果耶）の幼なじみが永浦家に久々に全員集合した。三生（前田航基）、悠人（高田彪我）、明日美（恒松祐里）、ちょっと遅れて亮（永瀬廉）。そこで百音は9年の間開けることのなかった楽器ケースの蓋を開ける。中にはピカピカのサックスと2011年3月12日の卒業コンサートのチラシが入っていた。未来に夢いっぱいでなんでもできると思っていた中学3年生のおわり。それが3月11日にふいに起こった震災でぷっつりと途切れた。百音は何もできない無力感に苛まれそこから抜け出せなくなった。抜け出すために地元を出て登米、東京に行って、たくさんの体験や学びを得て気象予報士として地元に帰ってきた。

どんなにがんばって生きてきても楽器ケースを見るとその時のことが思い出されそうで見ないようにしてきた百音だったが、ついに「もう何もできないなんて思わない」と微笑む。「おかえり」と未知。『おかえりモネ』と亮。仲間たちは手をつなぎ、なんでもできそうだったあの頃に「おかえり」した。楽しそうにはしゃぐ子供たち（もう大人だけど）の声を聞き安堵したような顔になる亜哉子（鈴木京香）。娘ふたりが立ち直ってさぞホッとしたことだろう。娘たちの問題にぐいぐいと踏み込まず、彼女たちが自分の力で問題を解決していくに任せる広い心を感じるお母さんであった。

とはいえこれで万事ＯＫにならないのが『おかえりモネ』の世界。亮がついに自分の船を手に入れてそのお披露目の日、百音の父・耕治（内野聖陽）は「見だら俺が救われでしまうんじゃねがって」と家を動かない。長らく何ができるか考えていたことはそんなに簡単には済まされないという耕治の自制的な言葉を聞いて百音の表情が変わる。百音こそ、それをずっと戒めるように生きてきたからであろう。「あなたのおかげで助かりました」という言葉は麻薬のようだから用心するように百音に言ったのは菅波で、人のためと思うことは結局自分のためではないかという疑問を提示したのは莉子（今田美桜）だった。他者のために何かしたことの満足感に溺れることのないように冷静にものごとを見極めていく。百音や菅波や耕治の出来事への距離の取り方の禁欲さには驚くばかりである。これがドラマの作り手が大事にしてきたことなのであろうと感じる。

現実のことを題材に描いた物語は慎重にならざるを得ない。ドキュメンタリーよりも難しい気がする。それでも物語にして伝えることを選択する上で、作った者や見ている者が勝手に理想のハッピーエンドを創るのは自己満足でしかないだろう。まだ出来事は終わっていないのだから。ちょっといい感じの物語を作ってそれを消費するようなことなく、これからも考え続けていくためのバトンのような物語が『おかえりモネ』だった。

願いが込められた百音と菅波によるフィナーレ

亮の出港の汽笛が鳴る。永浦家にも聴こえてきたその音は、百音たちのまだまだ続いていく旅の合図のようにも響いた。

現実は厳しい。問題は解決していない上にコロナ禍が起こって日本どころか世界が困ってしまった。『モネ』の世界では「コロナ」とは言わず「感染症」というワードだけ出した。2020年の1月から2年半が経ち、百音は海岸で菅波と再会する。どうやら第119回で菅波が去っていってから2年半、業務に追われて会えていなかったようだ。「太陽久しぶりだ」とまで言ってかなり疲労している菅波に百音は近寄るが案外冷静で。「私たち距離も時間も関係ないですから」と言う百音。

一瞬ためらいながら間をおいて遠慮がちに抱き合うふたり。「先生、本当にお疲れさまでした」

は呼吸器系の医者である菅波を通して医療従事者に対する言葉であろう（または一年間という長丁場、撮影に従事した互いをねぎらっているようにも聴こえる）。ここで菅波にも「おかえり」と言ってほしかった気もするが、「お疲れさまでした」は世の働く人達にほっと一息ついてほしいという思いやりのようにも感じ、それだけで十分とも感じる。

ドラマは２０２２年の夏。この2年、息をつく暇もなかった人類が、来夏、ほんとうに「お疲れさまでした」になって、手を繋いで歩き出せるように。祈りのような終幕だった。

（初出：「エキレビ！」２０２１年10月29日）

「おかえりモネ」が描き続けた〝生きづらさ〟の正体……
《手をつなぐラストシーン》に込められた深い意味

〝朝ドラ〟こと連続テレビ小説『おかえりモネ』(NHK)が終わった(全120回)。朝ドラシリーズとしてはすでに新作『カムカムエヴリバディ』がはじまっているとはいえ、未だ「モネロス」「#俺たちの菅波ロス」など余韻に浸る視聴者も少なくない。

『あさイチ』の朝ドラ受けも『カムカム』の初回を受けず『モネ』の最終回受けをやっていたほどである。この「モネロス」という余韻、長く引きずりそうな気配を感じる。その理由は『おかえりモネ』が極めて〝今〟を切り取った作品になっていたからである。

「東日本大震災」と「コロナ」に向き合った作品

東日本大震災の被害にあった気仙沼出身の主人公・モネこと永浦百音(清原果耶)が気象予報士になる物語としてはじまった『おかえりモネ』は、視聴者に想像を委ねる余白が多くとられ、明確な答えを出さない内容だった。そのため『モネ』がいつまでも心にぴたりと張り付いて離れない。つまりアニメや漫画によくある「俺たち人類の戦いはこれからも続く」みたいな、あるいは「あのゴジラが最後の一匹だとは思えない」みたいな印象を覚える終わり方だったのである。

最終回、『おかえりモネ』と重要なセリフを言った人物が百音の幼馴染・亮（永瀬廉）であった理由にも妄想が膨らんで止まらない。最終週ではコロナ禍を思わせる描写もあった。2022年の夏になったら人類はコロナから解放されていたらいい、そんな願いも感じさせるラストシーン。東日本大震災の後をどう生きるかを描くはずのドラマにコロナ禍まで加わった。中3の時に経験した震災で何もできなかった後ろめたさを抱えながら百音は人の役に立ちたい、役に立ちたいと呪文を繰り返すように切実に探り続ける。その末、ようやく何かできそうな小さな光が見えてくる。それは2019年暮れ。だが現実では、年が明けたら「コロナ」というワードが世界を震わせることになる。

『モネ』の世界でコロナは描かれるのだろうか。だとしたらどんなふうに？　視聴者ははらはらしながら見た。まるで自分の体験と重ねるように。

現実がドラマを変えていった

ドラマによっては実際の出来事を描いたり描かなかったりまちまちだ。同じ朝ドラでいえば『あまちゃん』（2013年度前期）、『半分、青い。』（2018年度前期）のように震災を描くこともあれば、『まれ』（2015年度前期）のように能登を舞台にしながらそこで起こった地震には触れないこともある。

あくまでフィクションなのでそこは作り手の自由だ。百音のお父さん・耕治を演じた内野聖陽の出世作である『ふたりっ子』（1996年度後期）は、企画当初は阪神淡路大震災のことを盛り込むつもりだったが、一切触れない物語に変更されたという。

『おかえりモネ』は東日本大震災から10年後に放送されるドラマとして、宮城県を舞台に企画されたものだった。それを粛々と作って放送していたら、上質なドラマだったという評価で完結したであろう。

だが制作時、「コロナ禍」が起こったことが『おかえりモネ』を忘れがたい特異なドラマに変えた。現実がドラマを変えていく。現実とドラマの切り離せない関係をまざまざと見せつけられるようだった。もちろんこんな災害はあってほしくないのだが。

2年半ぶりの再会で交わした〝言葉〟

『モネ』では震災当日のことを描きながらも、登場人物たちが会話するときはややぼかしている。また「コロナ」もその単語は出さず「感染症」とだけ言われる。

最終週、2020年1月中旬、菅波がせっかく百音の実家に挨拶に来たにもかかわらず、すぐに東京に戻るように職場から言われた理由が「感染症」に関することだった。百音と別れ際、菅波の歩く姿が意味ありげなスローモーションになって視聴者をざわつかせた。

時は過ぎ、2022年。2年半ぶりに菅波が百音の前に現れる。「太陽久しぶりだ」とこの2年半がとても大変だったことを感じさせるセリフもあって、百音が菅波の身体に触れていいか躊躇する描写もあれば、視聴者は自ずと「コロナ」を思い浮かべる。百音が菅波に語りかける「本当にお疲れさま」は医療従事者へのねぎらいの言葉にも聞こえた。

「私たち距離も時間も関係ないですから」と菅波との堅固な関係性に対する自信を見せる百音。ふたりは手をつなぎ歩き出す。百音と菅波がまるで名作『君の名は』（「。」のつくアニメではなく、昭和のメロドラマのほう）のように、主人公と想い人がすれ違い続けてなかなか結ばれない恋物語のオマージュかのよう。登米と東京、東京と気仙沼と遠距離交際を続けてきたふたりの姿が、コロナ禍があったことで一層、リアリティをもって視聴者にも強烈に響いてしまうという偶然の妙。

繰り返すが、災害なんてあってほしくない。けれど、コロナ以前は物語のある種のクリシェになりつつあった〝手をつなぐラストシーン〟が、ここで改めて普遍性を帯びたとも言えそうだ。いったいいつから作り手はこのラストを考えていたのだろうか。

クランクインは2020年9月だった

『おかえりモネ』のクランクインは2020年の9月。緊急事態宣言は解除されながらも国民は感染予防につとめていた時期である。朝ドラではたいてい、クランクインに合わせマスコミを撮影地に呼び込んで取材会を行うが、『モネ』では地元のメディアを優先して行っていた。

この頃、台本は最終回までは完成していないはずだが、すでに構想はあったかもしれない。最終回放送直前に筆者が制作統括の吉永証チーフプロデューサーに書面による取材を行ったところ、「東日本大震災についてのドラマに取り組んでいたところにコロナ禍が起こったとき、吉永さんは何を感じましたか。そしてこんな時、どんなドラマを作るべきだと考えましたか」という質問にこのように回答してくれた。

震災は人の力が及ばないものですし、コロナもまた震災と同じように、たやすく解決できるものではありません。モネが、どうなるかわからない明日を知りたいと懸命に考えていたように、私たちもコロナ禍でどう前に進めばよいかを、何かしらドラマの中に込めて描けないかと思いました。

（「主題歌、構成、題材に見る「おかえりモネ」の特殊性　制作統括に訊いた」「Yahoo!ニュース個人」2020年10月29日）。

ラストシーンはまさにその思いが込められていたと感じる。あまりにも現在との地続き感がドラマにあるものだから、永浦百音や菅波光太朗がこの世にほんとうに生きているような気さえしてしまう。一木正恵チーフディレクターは番組の公式サイトのコラムでこのようなことを書いていた。

もし朝ドラをやるならば、現代に横たわる大きな課題から目を背けたくないという思いは強くありました。それは気象災害と、今の圧倒的な「生きづらさ」です。

（中略）

気象災害は温暖化という地球規模の問題と共に、放置された山や限界集落など、日本の社会問題もはらんでいます。都市と地方の分断や富裕と貧困の分断から、人が人を監視し足を引っ張り合うかのような現代に、行き詰まりを感じます。

（中略）

朝ドラで描かれることの多い女性の社会進出や、さまざまな意味でのサクセスストーリーよりも、いま女性として社会人として行き詰まっていることを考えられる題材にしたい。今をとらえたい、という感覚がありました。

（「私の〝人生をかけた一作〟「おかえりモネ」を振り返ってみました」「ＮＨＫ広報局　ｎｏｔｅ」２０２１年10月22日）

東北の応援のみならず、今、日本に生きる人たちの問題に目を向けて登場人物たちに託す。だからこそ現在との地続き感があるドラマになったのだろう。

なぜ登場人物は〝陰キャ化〟していったのか？

現実との近さとしてとりわけ印象的だったのは、登場人物たちの表情や口調であった。百音や妹の未知（蒔田彩珠）の表情はいつもどこか虚ろで、話す時はささやき声。朝ドラヒロインは〝陽キャ〟（明るい・元気・さわやか）というイメージを覆すようだった。

過去回を振り返ると、それなりに百音も未知も明るい。それは10代の幼さの表現だったかもしれないし、百音たちなりの社会と折り合いをつける努力の表現だったのかもしれない。しかしある時、百音はふっと考え込む。その後、百音の過去に何があったか遡り、震災を経て無力感を抱くようになったことがわかる。

物語が進むにつれて徐々に陰キャ化していく百音。未知に至っては姉への嫉妬心ゆえの陰キャ的振る舞いかと思わせて、最終週で誰よりも重たい経験を誰にも言えず抱えていたことがわかる。ふだん楽しいことがあれば笑ったりすることもあるけれど、ある瞬間、フラッシュバックして身が竦む。どうしても拭い去れない、何かが身体にまとわりついて先に進めない感覚が、百音や未知の虚無のような瞳や、時々とても苦しそうに絞り出すような小さな声に表れているように感じた。

最初のうちは論理的な言葉づかいで他者とある種の壁を作っていた菅波も、途中からどんどんささやき声になり、明るく爽やかな笑顔を振りまいていた亮もだんだんささやき声になっていく。みんな、公的な場では微笑みながら礼儀正しく振る舞うが、社交的にふるまう努力を懸命にしているだけであり、内心は不安やおそれを抱えているようだ。

「これで救われる?」という問いかけ

『おかえりモネ』が秀逸だったのは、極めて優秀に見える若い世代の人たちが社会的鎧を剥いだその内側に迫ろうとしていたことである。それも寓話「北風と太陽」の太陽のように、旅人に自然にコートを脱がせるような手つきで。無理に本音を聞き出すのではなくやわらかに触れ合うことで登場人物たちは互いによそゆきの顔を剥がし、ようやく前に進むことができるようになる。

百音に本心を明かすことで少しだけ楽になった菅波、亮、未知。だからといって、それで完全に救われたわけではない。救われたと思うことも、救えたと思うことも、『おかえりモネ』は良しとしない。

「あなたのおかげで助かりました」という言葉は「麻薬です」と感謝されていい気分になることを警戒する菅波。「これで救われる?」と刹那的な関わりを拒絶する百音、「俺が救わえれでしまうんじゃねがって」と自戒する耕治。もっともらしい発言を「きれいごと」と指摘する亮や、震災当時幼かった高校生。

BUMP OF CHICKENの主題歌「なないろ」で印象的な歌詞「ヤジロベエみたいな正しさ」にも似た、かすかにゆらぎバランスをとりながら相手や社会との間合いを慎重にはかることは極めて知性的な行為だと感じると同時に、これもまた生きづらい世の中を表しているのではないだろうかとも感じる。

最終回もいい感じにまとめて視聴者が満たされるハッピーエンドではなかった。それこそが

〝今〟だとしたらなかなかしんどい。でもこれ以上、笑顔できれいな話にくるんでいったらもっと苦しくなるだけだろう。だからゆっくりでいいから少しずつ感情を解き放とう。あなたの心で暴れだすケモノはひとりで抱え込まなくてもきっと誰かが一緒に抱きしめてくれる。「おかえり」という言葉は、何があっても立ち上がって歩き続ける人へのクスリのような言葉である。

最後に。役を通して今の時代の少し途方に暮れた気持ちをその表情に映し出した若手俳優たち——清原果耶、坂口健太郎、蒔田彩珠、永瀬廉たちの才能には目を瞠るものがあった。

（初出：「文春オンライン」２０２１年11月３日）

第10章
『カムカムエヴリバディ』
朝ドラを総括した三世代物語

2021年11月1日～2022年4月8日（全112回）
脚本：藤本有紀／制作統括：堀之内礼二郎、櫻井賢／プロデューサー：葛西勇也、橋本果奈、齋藤明日香／演出：安達もじり、橋爪紳一朗、深川貴志、松岡一史、二見大輔、泉並敬眞／主演：上白石萌音、深津絵里、川栄李奈
あらすじ：大正14年、日本でラジオ放送が始まった日に岡山の和菓子屋の娘として生まれた橘安子。幼なじみの兄・稔からラジオ英語講座を教わった安子は、ラジオでの英語学習が毎朝の日課となる。戦争の影が近づく中、稔と結婚した安子だったが、短い結婚期間の後に稔は出兵し、その後、娘・るいを出産。終戦後、娘を育てながら稔の復員を待つ安子のもとに稔の戦死の報が届く。安子、るい、るいの娘・ひなた、大正から令和にかけて三世代の女性たちの物語が紡がれていく。

『カムカムエヴリバディ』は60年間続いた朝ドラの総論でもあった。

『カムカムエヴリバディ』は朝ドラ史上初の3人ヒロイン体制で臨む1925年から2025年まで、大正、昭和、平成、令和と続く100年もの長い時間の物語である。初代は岡山の和菓子店を営む家に生まれて育った橘安子（上白石萌音）、二代目は岡山で生まれ育ち大阪のクリーニング店で働きはじめた雉真るい（深津絵里）、三代目は京都の回転焼き屋を営む家で生まれ育った大月ひなた（川栄李奈）。安子は1925年生まれで太平洋戦争を経験し、るいは1944年生まれで戦後の高度成長期を過ごし、ひなたは1965年生まれでバブル期とその崩壊のなかで社会人になっていく。彼女たちの傍らにはつねにラジオ英語講座とあんことジャズと時代劇が寄り添っていた。

ラジオは時空をつなぐ装置

なかで最も重要なモチーフがラジオと英語講座だ。ラジオ放送のはじまりと同じ年に生まれた安子はラジオで英会話を学ぶことをきっかけに自立に目覚める。こうしてラジオはひなたの代までヒロインたちに関わっていくことになる。

ラジオは安子とのちの夫になる雉真稔（松村北斗）を結びつけ、彼が戦死したあとは、娘るいとたったふたりで生きていく支えになった。るいが大人になって大阪で暮らしはじめるとラジオは映画や音楽（ジャズ）など当時の文化を知らせてくれる。さらに、るいの名前の元になったルイ・アームストロングの「オン・ザ・サニーサイド・オブ・ザ・ストリート」が流れたりもして、のちの夫・大月錠一郎（オダギリジョー）がトランペット奏者の道を原因不明の病気で絶たれ入水自殺を図ったとき、るいが止めに駆けつけるきっかけともなった。

ラジオの大活躍の極めつけは三代目。るいと哀しい別れをしてそのまま行方不明になっていた安子の消息をラジオが知らせることになる。50年もの間の安子が抱えていた想いがラジオ放送から切々と流れるのを聞いたるいとひなたは涙した。

ドラマのなかに出てきたラジオは全部で25種類もあり、それだけでも１００年の時の流れを感じることができた。〃いま〃をビビッドに伝えるはずのラジオがちょっとしたタイムマシーンやどこでもドアのようになって、過去に戻ったり、空間をつなげたり、１００年間をつなぐ装置として機能した。橘家とラジオの出会いがは安子の兄・算太（濱田岳）のラジオ泥棒で、そんな不名誉な出来事が孫の代まで関連してくるからおもしろい。

とりわけ、作り手が「岡山の奇跡」と呼んだ第97回のラジオにまつわるエピソードはこれぞ

〝神回〟と呼ぶべきものだった。算太が亡くなり岡山に納骨に訪れたるいとひなた。かつてるいが使っていた部屋でひなたはコードがつながっていないラジオから流れる玉音放送を聞き、さらに安子とるいが聞いていた「英語会話」のパーソナリティ平川唯一の幻（さだまさし）と出会う。一方、るいは、安子と稔がよく通っていた神社で稔の幻と会話する。それらはすべて、8月15日、甲子園の試合前に終戦記念の黙祷を捧げる1分間のサイレンのなかでの出来事になっている。一年のうち、たった一度の死者と生者が邂逅する日に起きた正真正銘の奇跡なのだ。

パラレルワールドを朝ドラで描く

お盆には死者が帰ってくると言われている。ふだんは日常にかまけてそのままにしてしまっていても、この時ばかりは思い出して祈る人も少なくないだろう。忘れなければ人は死なない。こうやって祈り続けることで人は生き続ける。時間は不可逆で、亡くなった人は二度と生き返ることはない。それを私たちは知っている。喪失があるから人間には哀しいという感情が湧き上がる。だからこそ、時間を巻き戻すことが、亡くなった人を蘇らせることができたらどんなにいいか、そんな願いも私たちには少なからずあるもので、その願いがかなったのが、第97回、そして第111回である。るいと、彼女のコンサートをそっと見に来た安子（老年期役・森山良子）とが再会したとき、時間は逆走し、悲しみの過去が変わる。

戦後まもなく岡山の進駐軍の施設であった偕行社で、るいは「オン・ザ・サニーサイド・オブ・ザ・ストリート」を、錠一郎のピアノ演奏で歌う。そのとき、錠一郎がかつて吹いたトランペットの音源が発掘されて使用される。過去として葬られたはずの音が現代に蘇ったそのとき、安子は偕行社から商店街を全力疾走して思い出の神社へと向かう。それはまるで過去にタイムスリップするような行為である。こうして再会した安子とるいは抱き合うと、土砂降りのなかの哀しい母娘の断絶が、雨上がりの仲直りに変わるのだ。るいが安子に突きつけた「I hate you」の呪いが「I love you」の愛の魔法にくるりと反転する。まるで長いことかかっていた呪いが解けたように。ファンタジーの世界で言えば、温かい涙が凍った心を溶かすように。

過去に戻りやり直すことで世界線が変わる。大ヒットしたアニメーション映画『君の名は。』(ひなたの子役を演じた新津ちせの父・新海誠の監督作)のようなパラレルワールド的な世界。このようなSFファンタジーのムードをもった朝ドラはこれまでなかったのではないだろうか。朝ドラでは幽霊はつきもので、ラジオがテーマの『つばさ』にはラジオの妖精(イッセー尾形)が登場し、漫画家・水木しげる夫婦を描いた『ゲゲゲの女房』では妖怪(片桐仁)も出ているとはいえ、世界の構造をこのようにパラレル的に捉えたものは令和ならではであろう。

脚本家・藤本有紀はリアリズムの作家で、幽霊は出さず、安子の父・金太(甲本雅裕)が死ぬ場面では、息子の算太と戦災孤児の少年を間違えて幻を見るという描き方をしていた。また、赤螺家や柳沢家の代々の血縁者を同じ俳優が演じるなど、時間が巻き戻ったような錯覚を起こしそうな演出も効果的だった。100年後のたった1回の（2回？）の奇跡のためにリアリズムを積み重ねてきたからこそ、その奇跡の威力は大きかった。

ヘイトという言葉が飛び交う世界で

安子とひなたの別れの原因はお互いのぼたんの掛け違い。安子はるいを守るために必死で働き、るいは母が好き過ぎて彼女が遠くに行ってしまうことを恐れ、逆に遠ざけるという行為に出てしまった。お互いがお互いを好き過ぎてぶつかりあってしまったのだ。それが「I hate you」。「hate」＝憎悪／嫌いと言うにしても、ずいぶんと過激な単語をチョイスしたものだという気もしたけれど、ドラマが放送されている2022年には「ヘイト」という言葉が皮肉にもとてもポピュラーになっていて、このセリフは実にキャッチーに響いた。「ヘイトスピーチ」「ヘイトクライム」という言葉が世の中に溢れている時代。法務省の公式サイトでは、「令和3年6月でヘイトスピーチ解消法施行から5年になります。この機会にヘイトスピーチ問題について理解を深めてみませんか？」とヘイトスピーチのコーナーができている。そこにはこうある。

人々に不安感や嫌悪感を与えるだけでなく、人としての尊厳を傷つけたり、差別意識を生じさせることになりかねません。一人一人の人権が尊重され、豊かで安心できる成熟した社会の実現を目指す上で、こうした言動は許されるものではありません。民族や国籍等の違いを認め、互いの人権を尊重し合う社会を共に築きましょう。

この言葉には稔が願った「どこの国とも自由に行き来できる。どこの国の音楽でも、自由に聴ける、自由に演奏できる」世界に通じるものを感じる。

ネットが普及するようになってから相手を罵る言葉を目にする機会が増えた。無意識に入ってくるヘイトの数々に私たちは心を痛める。吐いてしまった言葉はなかったことにならないから最初から言わないのが一番。でももしあとで感情が落ち着いたとき、あるいは何かのきっかけで考え方が変わったとき、取り返せたらいいなと願う。『カムカム』の安子とるいの関係性の修復には取り返すことができるという希望があった。あのときの自分の考えを改めたとき、一度途切れた関係も修復することができるかもしれない。時間は不可逆で、過去は取り戻せないとは限らない。物理的には無理だとしても、忘れることなく、考え続ければ、安子とるいのように、あるとき違う事実を発見できるかもしれないのである。

やり直しと繰り返し

やり直しの希望は安子とるいの関係に留まらない。安子と稔がはじめてのデートで見た映画、棗黍之丞シリーズの主演俳優・初代桃山剣之介（モモケン）の息子（尾上菊之助ふた役）と大部屋俳優・伴虚無蔵（松重豊）との間にもそれがあった。虚無蔵は初代モモケンに見込まれて映画「妖術七変化 隠れ里の決闘」の敵役に大抜擢されるも映画が大コケし、その責任を背負わされた結果、鳴かず飛ばずとなる。それでもずっと脇役として京都・太秦の条映映画村で活動し続ける。やがて「妖術七変化」リメイク版の製作時に当時の真相を聞かされた虚無蔵は20年もの間の苦しみから解き放たれた。二代目モモケンの虚無蔵への嫉妬が互いを苦しめた。でもこれもきっかけさえあればお互いの見方が変わる一例であろう。トランペットが吹けなくなって30年もの間、愛する音楽から遠ざかっていた錠一郎がようやく、ピアノに転向し、再びジャズをはじめることも同じく。ひなたが子どものときに英語が話せなかった悔恨も最終回で取り戻すことができた。

安子とるい、モモケンと虚無蔵、錠一郎とジャズ、それぞれの葛藤と再生のみならず、『カムカム』は100年の間に、同じような出来事がリフレインする。安子と稔が河原で自転車の練習をしたことは、るいと錠一郎がまったく同じように河原で自転車の練習をすることと重なっていた。ひなたが回転焼き屋に買い物に来た少年を好きになるのは、るいがクリーニング店に来た錠一郎を好きになること、及び、安子が和菓子屋たちばなでおはぎを買った稔に恋することのリフレインである。ほかにもあれもこれもとリフレインが何度もあった。

平川を演じたさだまさしの歌にもある「生々流転」。人は生まれて死んで……の人類の歴史はリフレインそのものだ。恋して結婚して子供が生まれて、戦争があって、疫病があって、災害があって……と歴史は繰り返す。その都度、ちょっとずつコツを覚えてより良い方向に進むこともあれば、同じことの繰り返しで進歩がないこともある。それでも人間は前に進むしかない。『カムカム』はこのような壮大な人間の営みを俯瞰して描いた大河ドラマのようでもあった。チーフ演出の安達もじりは、岡山の旭川、大阪の道頓堀川、京都の賀茂川と人生を表すモチーフに河を使っていた。さだまさしの「道化師のソネット」の河をうたったフレーズなんかもまさにそうである。

また、藤本有紀が『ちりとてちん』以来、朝ドラ2回目の執筆であることが最大のリフレインともいえるだろう。

1日15分の朝ドラが好き

大河のような壮大なテーマも内包しながら、『カムカム』は徹底して庶民の生活を描き続けた。100年の間、主舞台となるのは、小さな商店街の小さな店舗兼自宅、そしてそのなかの居間である。岡山でも大阪でも京都でも変わらない。そこには最初、ラジオがあって、家族や使用人がみんなでラジオを聞いて楽しんだり、ときには玉音放送を聞いて涙したりしていた。やがて戦争が終わるとテレビが普及して、家族はテレビを観るようになる。そこではじまったのが朝ドラである。るいが岡山の雉真家を出て大阪でひとりで生きていくことにした日は、朝ドラ第1作『娘と私』の最終回だった。るいの叔父・勇（村上虹郎／目黒祐樹）の妻・雪衣（岡田結実／多岐川裕美）は雉真家当主・千吉（段田安則）の葬式にもかかわらず、最終回を見届けようとする。その後、雪衣は2003年、『てるてる家族』の第67回まで欠かさず朝ドラを観続けた。彼女が亡くなるのは「見上げてごらん夜の星を」がかかった日というナレーションのみになっている。この歌詞も誰かの幸せを祈るもので、『カムカム』の主題歌「アルデバラン」の祈りと重なっている。

雪衣は生前、同じく朝ドラ好きで『おしん』から熱心に観ている錠一郎に「好きなんじゃ。1日15分だけのこの時間が。たった15分。半年であれだけ喜びも悲しみもあるんじゃから、何十年も生きとりゃ、いろいろあって当たりめえじゃが」と朝ドラと人生を結びつける。

『カムカム』は100年の年代記ながら、あえて、何年何月とクレジットを出さず、物語のなかで起きる出来事やラジオやテレビが語る出来事で、視聴者が何年何月なのか認識するように作ってあった。月日を知るうえで朝ドラが大いに役立った。1961年『娘と私』、1976年『雲のじゅうたん』、1979年『マー姉ちゃん』、1983年『おしん』、1984年『ロマンス』、1988年『純ちゃんの応援歌』、1992年『ひらり』、1994年『ぴあの』、2000年『オードリー』、2003年『てるてる家族』と朝ドラがたくさん出て来た（『てるてる』は画面なし、『マー姉ちゃん』と『純ちゃんの応援歌』はセリフで題名のみ）。1966年放送の『おはなはん』に主人公が自分が出ている『おはなはん』を視聴する遊びごころあふれるシーンが出て来て以来、劇中に朝ドラが出てくることは何度かあった。とはいえ『カムカム』ほど朝ドラが出てくることははじめて。三代ヒロインと並ぶ朝ドラ初記録である。しかも、『おしん』のパロディをやったり、錠一郎が朝ドラ評を語ったりと、ドラマ内での朝ドラの市民権はずいぶんと高い。原因不明の病でトランペットを諦めた錠一郎がピアノに転向を考えるときに『ぴあの』が放送されたり、ひなたが撮影所に入社するときに『ロマンス』、入社して何年も経ったときに『オードリー』と登場人物と朝ドラの人生がみごとに重なっていた。『オードリー』の次の作品が沖縄を舞台にした『ちゅらさん』（2001年）であり、『カムカム』の次の作品が同じく沖縄を舞台にした『ちむどんどん』（2022年）であることも出来すぎなほどである。

『おしん』は主人公を少女、成年、老年と世代ごとに分けて3人の俳優で演じ分け、年をとった主人公が過去を振り返り、何を失ったか検証する物語であった。『カムカム』は時系列で過去から未来へと進むことで、過去を色鮮やかに描き、決して失ってはいない、過去と共に今があることを力強く描いた。朝ドラ絶対王者『おしん』の脚本家・橋田壽賀子が亡くなった年に『カムカム』が生まれたこと、最大の朝ドラの女王リスペクトとしても楽しめるドラマであった。

『おしん』に限らず多くの朝ドラとドラマの内容がこれほど重ねて描かれたことは見事だし、こういう仕掛けが視聴者に受け入れられたのは〝朝ドラを楽しむ〟習慣が浸透し、ある種の成熟を迎えたと考えていいだろう。

『カムカム』はラジオ英語講座と時代劇とあんことジャズによる100年の物語だったが、同時に朝ドラの60年の物語でもあったのではないだろうか。タイミングとしては『おかえりモネ』が朝ドラ60周年に当たっていたが、具体的にそういうお祭り的なことはやらず（それより、東日本大震災から10年の節目ということを重視したように感じる）その次の『カムカム』が朝ドラ60年を物語に織り込んだ記念作のようにも見えた。そうすることで、いい意味でも悪い意味でも朝ドラを総括したともいえるだろう。それはまさに雪衣のセリフ「好きなんじゃ。1日15分だけのこの時間が。たった15分。半年であれだけ喜びも悲しみもあるんじゃから、何十年も生きとりゃ、いろいろあって当たりめえじゃが」であり、主題歌の人々の幸せを願う「祈り」であると言っていいだろう。

祈りの物語

『カムカム』の主題歌「アルデバラン」は「祈り」の曲である。君と呼びかける誰かと仲良くなりたいという祈りが切々とこもっている。これは普遍的なものだけれど、「アルデバラン」

にドキリとなるのは「この世界が終わる」までにという期限を区切っていることなのだ。それが、ひなたの時代に訪れる、当時一世を風靡した「ノストラダムスの大予言」とつながってくる面白さもあって、これも脚本家・藤本有紀の得意技である「伏線」の見事なひとつとされた。でも、私たちは薄々感じている。〝世界のおわり〟の予感を。

米国時間の2022年1月21日(金)、2022年の終末時計で、人類の終末まで「残り100秒」と発表された。それは昨年から据え起きで短くも長くもなっていない。米国の原子力科学者会報が「核兵器、パンデミック、気候変動、生物学的脅威、人工知能や近年急速に拡散される偽情報」などが地球に与える影響を元に終末を算出して発表しているというシニカルな行為である。でも我々が油断したらほんとうにそうなりかねない。おそらく「ノストラダムスの大予言」よりはだいぶリアルであろう。

世界がこのままずっと平穏に続いて、大切な家族や友人や恋人や仲間と仲良く過ごしていきたい。その当たり前の祈りが、世界が終わらないでほしいという願いのほうが色濃くなっている今だからこそ、朝ドラがずっと続いてほしい。もしも、朝ドラが続くことが世界が続くおまじないだとしたら、それは、戦争を経て日本人が生きてきた歴史を、喜びも悲しみも、成功も失敗も繰り返し描き続けることにほかならない。

ラストシーン2025年の映画村をひなたが歩くと、そこには江戸時代の扮装した人たちがたくさんいる。そこもまるで時空が歪んで未来と過去が重なったかのような不思議な様相を呈して見えた。

『カムカムエヴリバディ』それぞれのひなたの道

『カムカムエヴリバディ』は「ひなたの道」への希求の物語である。初代ヒロイン・安子は夫となる稔から教えられたルイ・アームストロングの楽曲「オン・ザ・サニーサイド・オブ・ザ・ストリート」の「サニーサイド」を生涯、求めて生きていく。稔の考える「ひなた」とは「どこの国とも自由に行き来できる。どこの国の音楽でも、自由に聴ける、自由に演奏できる」こと。つまり「自由」である。

安子の娘るいにも「ひなたの道」の願いが託され、ルイにあやかって名前がつけられた。孫の名前は「ひなた」そのものとなる。ひなたは長らく、自分の名前の由来を知らなかったが、やがて深い愛情のこもった名前であることを知る。ひなたは五十代になっても独身を貫いて子どもを生むことはなかったが、彼女のラジオ講座の名前は「サニーサイドイングリッシュ」で、たとえ子どもを持たなくても、次世代に何かを託すことができる可能性を示唆した。こうして安子と稔の願いは子孫につながっていったのだ。

影＝闇をすり抜けた〝木漏れ日〟の道

安子、るい、ひなた……3人のロード・オブ・ザ・サニーサイドを改めて振り返ってみたい。

橘安子は日だまりのような家に生まれた。家族から大事に育まれ、おしゃれとお菓子が大好きな箱入り娘という感じの安子に、よりいっそうあたたかな太陽が現れた。それが雉真稔である。結論から書いてしまうと、雉真稔こそ『カムカム』におけるひなたの光源であると筆者は思う。すべてのはじまり。太陽神アポロンのような人物だ（ギリシャ神話のアポロンは浮気者であったが稔さんは決してそういうことのない実直な人である）。

稔は生真面目な勉強家。英語を学び、実家の雉真繊維を海外にも通用する企業にしようと考えていた。世界に出て様々な人達と触れ合うことで、世界が明るいひなたに包まれることを願う稔の影響を受けて、安子は英語を学びはじめる。きっかけは淡い恋だったが、それが安子を広い世界に連れていくことになる。

おっとりしていた安子は急速に変化していく。稔に会うため家を出てはじめて列車に乗って大阪までひとり旅し、親の決めた縁談を拒み、自分の意志で行動するようになる。こうして稔との結婚という幸せを自力で手に入れた安子は、彼の死後、稔の忘れ形見となったるいを誰にも頼らず育てようとする。その強いバイタリティーは少女の頃とは別人のようだった。その強さがやがてるいとの哀しい別れにつながってしまうとはなんとも皮肉であった。

稔とあれだけ深く強い愛情で結ばれていた安子だったが、戦後、来日していたアメリカ進駐軍のロバート（村雨辰剛）と心を通わせていく。強く抱きしめられ一緒にアメリカに行こうと誘われたとき、るいのように胸を痛めた視聴者も少なくないだろう。あれだけの純愛、安子には稔一筋であってほしいという想いが拭えない。そうはいっても誰かと共に生きたい気持ちが再び芽生えることを否定はできないし、安子にはロバートとアメリカに行くことで稔の生前の願いを叶えることができるという算段もあったかもしれない。

皮肉にもるいに拒絶されたことが安子の背中を押してしまう。渡米した安子はアニー・ヒラカワと名乗り、映画のキャスティング・ディレクターになったことは、稔とはじめてのデートが映画だったことも影響しているだろう。やがて日本で映画を作る企画が立ち上がり、日本人俳優を起用することになったとき、安子には、稔の言葉「どこの国とも自由に行き来できる。どこの国の音楽でも、自由に聴ける、自由に演奏できる」を自身で体現できる喜びに震えたのではないだろうか。では、はたして安子のアメリカでの再出発はひなたの道であったのか。

第111回、アメリカでロバートと暮らした日々を語る安子は彼のことを「木漏れ日みてえな人じゃった」と言い表している。〝木漏れ日〟は神社で木漏れ日を踏みながら歩いた安子の傍らでロバートが英語には「木漏れ日」という言葉がないと語ったことに端を発している。木漏れ日は日なたのように全面的に陽の光が降り注いでいる状況とは違い、木の葉の重なり合いの隙間から溢れる光である。影＝闇をすり抜けた光である。とすれば、安子はロバートといてもかたときも稔を忘れたことはなかったと推測できる。稔が戦死したとき安子の世界は闇になった。閉ざされた真っ暗な世界に少しだけ光を入れてくれたのがロバートだった。でもそれは完全なるひなたの世界ではない。安子にとっての完全なる〝ひなた〟は稔と共に消え、二度と戻ってはこない。そう思うと、稔という完全なる光を奪った戦争とはいかに、酷（むご）いものかという想いが沸いてくる。

るいと錠一郎を照らす月明かり

「暗闇でしか見えぬものがある。暗闇でしか聞こえぬ歌がある」

安子と稔の思い出の映画、棗黍之丞シリーズの主人公の決めセリフ。『カムカム』はひなたの道を歩むことを推奨する一方で「暗闇」でしか得られないものがあることも説いている。暗闇を歩む者たちは、安子を切り捨てたるいであり、戦災孤児だった錠一郎であり、映画がまれにみる駄作と酷評された伴虚無蔵であり、俳優としての鳴かず飛ばずの五十嵐文四郎である。彼らは長く暗いトンネルのなかを彷徨い続ける。

額の傷と母への確執を抱えながら十代まで生きてきたるいは、大阪で竹村クリーニング店に居候する。そこはクリーニング店だけあってひなたのにおいのするような店と住まいだった。

一階のテラスのような場所にはいつも日差しが降り注いでいた。

戦災で親も戸籍すらも失くした錠一郎が大阪で住む部屋はビルの最上階で天窓から日が差し込む。陽光を受けながら錠一郎の吹く「オン・ザ・サニーサイド・オブ・ザ・ストリート」にるいは聞き惚れる。錠一郎は恩人・定一（世良公則）が岡山の偕行社で行われた進駐軍のクリスマスパーティーで歌ったこの曲によって暗闇から抜け出すことができた。ただし、彼がるいを連れ出すのはひなたの道ではなく月明かりである。

太陽にはなれないが暗闇を煌々と照らす月。るいと錠一郎は、どちらかが闇に飲み込まれそうになったとき、互いの明かりで照らし合いながら生きていく。錠一郎が20年もの間、アイデンティティを失っていたとき、るいが彼を照らすようになる。ふたりの光は淡く弱い。でも彼らの子どもは太陽の光を宿していた。娘のひなたと息子の桃太郎。るいと錠一郎は子の光を守りながら生きていく。

100年の物語を救うひなたの光のパワー

ひなたの代になると、「ひなたの道」というワードは〝日の当たる道〟と同時に〝彼女の選ぶ道〟という意味を伴って聴こえる。昭和40年（1965年）に生まれたひなたは日本がバブルだった時代で比較的裕福なときに多感な時期を過ごし、それゆえに「暗闇」を知らない。家はけっして裕福ではないとはいえ、どん底という経験はしないで済んでいる。暗闇に光る月あかりのような静謐な環境で育ってきたひなたは何をやっても熱心になれないまま高校を卒業することになるが、あるとき、時代劇を救うという使命を虚無蔵から託される。

ひなたはまるで冒険ファンタジーの主人公のように、時代劇を救う任務と平行して、母と祖母を救うことになる。彼女が気づいていない〝ひなた〟のポテンシャルは徐々に彼女のなかで力を増していき、撮影所で知り合って交際をはじめた文四郎には「まぶし過ぎる」と言われてしまう。

ひなたは映画スターになったわけではない。撮影所の社員として事務仕事に携わっている。祖母や母と比べて服装にもあまり気を使っていない（経済的に豊かではないということなのか興味がないのか不明）にもかかわらず、ひなたをまぶし過ぎるとまで言う理由とは。それだけひなたが真っ直ぐだからだろう。真っ直ぐに時代劇を愛し、真っ直ぐに時代劇俳優として頑張っている五十嵐を応援し続ける。だから時代劇俳優として未来が見いだせなくなった五十嵐はいたたまれなくなる。

一旦、ひなたから離れた五十嵐だが、長い年月を経てハリウッドでアクション監督の道を歩むことになる。ひなたの光を浴びた者は浄化され闇落ちすることから救われる。光のパワーで元カレを救い、さらには安子とるいも救いだし世界を一変させたひなたは、英語を学び、安子のようなキャスティングディレクターとなって日本とアメリカを行き来して、「英語会話」のテキストを書く。祖父・稔と一度も会ったことがないながら、彼の「どこの国とも自由に行き来できる。どこの国の音楽でも、自由に聴ける、自由に演奏できる」という願いを孫の代で叶えたのである（るいも叶えているが）。――めでたしめでたし。三代にわたる100年の物語がこうして光に包まれて幕を閉じる。

だが100歳の誕生日を迎えた安子だけは木漏れ日の世界にいる。完全なる光の世界でもなく闇の世界でもなく、狭間の世界は、稔への愛は特別であるということと感じると同時に、美しいひなたの世界を奪うものが世界にはあることを忘れてはいけないと思うのだ。

ほんとうの自由を求める〝ひなた〟の戦いはこれからも続く。

『カムカムエヴリバディ』とネット

コロナ禍を逆手にとったリモート取材

コロナ禍、感染予防対策によってこれまで当たり前にできたことが制限されるようになった。テレビドラマの撮影にも様々な規制が加わり、と同時に取材にも制限が……。これまで可能だった撮影現場取材はほぼなくなって、俳優やスタッフ取材もかなり減った。対面なんてもってのほか。リモート取材が行われるようになったのだ。ところがそれが悪いことばかりではないもので、リモート取材が普及したことによって逆に、離れた場所にいてもプロデューサーや演出家をネットでつなぎ、同時間帯に取材することができるようになったのである。それを最大限に活用したのが『カムカム』チームである。

『カムカム』は大阪放送局（略してBK）制作である。マスコミの大半は東京在住なので、大阪にしょっちゅう取材することはもともと難しかった。ところがコロナ禍リモート取材が主流になったため、東京にいてもリモートで取材依頼ができる。以前なら電話だと失礼に当たるから出向くべきだという気持ちがあったが、堂々とリモート取材を申し込めた。

しかも、これまでの対面取材では同時刻に同じ場所に集まることは難しかったプロデューサーや演出家を同時に取材することも以前よりやりやすくなったのだ。撮影の合間に、例えばロケで外に出ていても、局の広報と外にいる演出家、さらに別の場所にいるプロデューサーが集まって取材ができた。コロナ禍以前は、放送前、中盤、終盤くらいの取材が毎週のようにできた。そして、ネットであることを生かして、短期間に原稿確認の後、放送直前直後に配信し、放送と記事を同時に楽しむという企画が可能になった。朝ドラ送りと放送と朝ドラ受けがセットで楽しまれるようになったことと同種の楽しみ方であろう。

例えば、第76回、錠一郎が「あれから20年経ったんや」としみじみしたとき、20年もの間、定職につこうとしなかったのかと視聴者は思うだろうと推測してCP（チーフプロデューサー）と演出を担当した橋爪紳一朗さんに取材して記事にしたり、第105回、10年ぶりにひなたと再会した元カレの五十嵐文四郎（本郷奏多）がひなたをBARに呼び出したすえ、アメリカの仕事仲間と結婚すると報告する。その前にひなたがかっこよくなっているとざわついたり、BARに行くときおめかししていったりしていたため、ひなたが肩透かしを食らわされたような流れになっていて、五十嵐をこんなふうに描かなくてもいいのになあと思う視聴者は多いのではないかと想像してCPと演出を担当した深川貴志さんに取材して記事化、放送直後に出したら、両記事ともかなりのPVを獲った。NHK側から出したリリース記事ではなく、こちらで質問したことに回答をもらう形で記事を出せる、しかもその質問も前述の2問のように若干答えにくいものでも『カムカム』チームは真摯に回答してくれた。

その分、CPや演出家、広報スタッフは対応に手間ひまがかかったことであろうが、きめ細かく対応していた。これは『カムカム』のチームだからできたことだろうと広報の松岡秀伸さんと言っていた。働き方改革もあるなかで最後までやりきった広報の粘りは評価に値する。

『カムカム』とネットを表すのにふさわしい取材がある。『カムカム』が右肩上がりに注目されていった理由は、内容のよさもちろんながら、SNS対策を徹底したことがあるだろう。CPが試みたネット時代に対する工夫を聞いた。

安達もじりチーフ演出、堀之内礼二郎CPインタビュー

「第20週は個人的にすごく好きな週で、皆さんにお見せする日をかなり前から待ち望んでいました」と堀之内礼二郎チーフプロデューサーから自信が滲む。それだけあって実際、これぞ神回ならぬ神週。家族3代による100年の物語のなかで、亡くなった人も生きている人も夢がかなった人もかなわなかった人もみんなが報われる、そんな希望が煌めいた。演出を担当した

安達さんにこの週をどう演出したか、堀之内礼二郎チーフプロデューサーに第20週の意味を総括してもらうと、丁寧に物語を紡いできたことが改めてわかった。

――錠一郎（オダギリジョー）がこの30年、どんなふうにトランペットと向き合ってきたか明かされました。

安達もじり（以下、安達）：錠一郎の人物造形を考えているとき、途中でトランペットを吹けなくしたいと藤本有紀さんがおっしゃって、吹けなくなる状態をどう描くか議論しました。その後の錠一郎の生活をどう描くかが一番難しかったところです。本音ではまた吹けるようになったらいいのになあと私は思いましたし、るい（深津絵里）もそう願っていたと思います。ただ、実際、楽器が吹けなくなって再起を果たせない方もおそらくいらっしゃるので、そこはあまり夢物語にしないほうがいいのかなと藤本さんと話しました。それでも音楽には携わってほしいと考え、第20週はそのきっかけになる週でした。トランペットが吹けない表現にはじまって、算太（濱田岳）が踊る、そのエンタメ性に触発されておもちゃのピアノを弾くところまでうまく繋がったらいいなと考えました。

――算太が商店街で踊ったあと、天を仰いだとき、たちばなの店のカットが挿入されていました。そこにはどんな想いが託されていますか。

安達：最後、天を仰いで太陽を見るくだりは、藤本有紀さん独特の超すてきなト書きで台本に書かれてあり、これをセットでどう表現するか悩みました。ダンスのシーンでは濱田さんは「安子のために踊りたい」とおっしゃって、それを大事にしたいと編集でも試行錯誤しました。ダンスの撮影中、幼い安子に映像に映らないところにいてもらって、算太は彼女に向けて踊っているという仕掛けになっています。ひじょうになつかしい、現場で私自身もほろっとするような瞬間でした。たちばなのカットはこのドラマの編集をずっと担当してきた編集スタッフのアイデアです。その編集を見たときに、ああ、なるほど、泣けるなあと思いました。

――〝たちばな〟が『カムカム』が描く家族のルーツなのだなと感動を覚えました。

安達：これまで算太はポイント、ポイントでしか劇中に登場しませんでしたが、彼がどういう思いで人生を送っていたかが滲み出る画になったと思います。

――算太の納骨で岡山に行くと、そこでひなた（川栄李奈）と平川唯一（さだまさし）、るいと稔（松村北斗）が邂逅します。ことさらファンタジックな効果を使っていないにもかかわらず、三世代が時空を超えてつながったことが強く伝わってきました。台本にはどのように書いてあったのでしょうか。

安達：編集で多少、順番を変えたところもありますが、ほぼ台本どおりです。台本の構造も、甲子園の黙祷のサイレンをきっかけに、黙祷中に起きる出来事として書いてあります。そこを藤本さんとは「岡山の奇跡」と呼んでいました。演出としては、10分間ほど、その奇跡の時空間に飛ぶため、今がどういう状況なのか視聴者がわからなくならないような工夫をしたつもりです。

――定一（世良公則）の息子・健一（世良公則二役）と孫（前野朋哉）も現れて、おもしろさと同時に感動がありました。世良公則さんと前野朋哉さんなのでそれこそ過去に戻ったかのようでした。京都編の最初、堀部圭亮さんや宮嶋麻衣さんが別の役で登場し時空が歪んだ感じの世界観と安達さんがおっしゃっていましたが、それも第20週に向けての布石だったのでしょうか。

安達：京都編を撮っているときから構想はありました。ゆくゆく物語のなかで岡山に戻ると藤本さんがおっしゃっていて、だったら岡山をどういうふうな見せ方したらおもしろいか話し合うなかで、世良さんや前野さんにご登場いただきたいという発想がでてきました。

堀之内礼二郎（以下、堀之内）：京都編で堀部さんが吉兵衛から吉右衛門を演じたことはある種、朝ドラ文化的なことでしたが、前野さんが大人になったら世良さんになることにはリアリティーがあるかについては話し合いを重ねました。若い頃は似ていないけれど、年をとると似てくることはありますし、視聴者のみなさんにも受け入れてもらえるのではないかと思って世良さんに健一役をご相談したら、快諾してくださいました。定一は野性味がありましたが、健一はちょっと文化系で丁寧な感じと演じ分けられていて、さすが世良さんだなと嬉しく思いました。『カムカム』のテーマは運命が巡っていくことでもあるので、世良さんと前野さんが再び演じられたことにも意味をもたせられたのではないかと思います。

安達：雉真家のセットを久しぶりに建てましたが、あの雉真家の怨念じゃないですけれど、セットにもかかわらず、パワーがすごくて、こわくなるくらいでした。岡山、大阪、京都といろいろな場所を撮ってきたからこそ、場所がもつ意味があるんだなと感じた次第です。それと、これは余談ですが、今回、雉真家のシーンに出てくる人たちはそれまで雉真家のセットに一歩たりとも入ったことのない人たちばかりで、中に入るなり「ああこれテレビで見たことがある」と皆さんが言い始めて、そりゃそうだわなと思いました（笑）。

――年をとった勇と雪衣に不思議と若い頃の面影があります。

安達：雪衣役の多岐川裕美さんは『カムカム』を最初から見てくださっていて、安子編のとき雪衣はどういう気持だったかお話しして撮影しました。勇役の目黒祐樹さんは村上虹郎さんの個性やちょっとした気持ちの持っていき方をよくぞここまでカラダに落とし込んで演じてくださったと感謝でいっぱいです。目黒さんと多岐川さんが勇と雪衣が雉真家でどう生きてきたか感じさせてくださったことで物語が深まっていく感覚を覚えながら撮りました。

――平川唯一さん、稔さん、亡くなった人たちが登場することについてどう考えましたか。

安達：『カムカム』ではこういう非現実的な表現があまりなかったのですが（たいてい幻、妄想として処理された）、初期の段階から、藤本さんが終盤で平川さんを登場させたいとおっしゃっていて、それが実現した形です。平川さんが妖精のようにでてきてひなたに発するメッセージはどういうものなのか、この回が大きな意味でどんな意味合いをもてばいいのか最後まで試行錯誤しました。最後に音をつけたときに、安子（上白石萌音）編の世代の人たちがいまの世代の人たちへ贈り物をして成仏していく感覚になりました。「ちゃんと託したよ」と言って別れを告げたような気分になりました。２回目のサイレンの音は別れのサイレンのように聞こえたらいいなと思ってつけています。

堀之内：どこかで平川さんを出そうとしていたところ、こういう形で出せたことには何重もの意味を感じます。玉音放送に英語版があって、それを平川さんが読んだこと、戦後の日本を明るくしたいという平川さんの思いがカムカム英語を生みだしたこと。その話を聞いたことをきっかけにひなたが、第21週から本気で英語に取り組むようになる。ひじょうに意味ある場面になりました。

――稔のセリフが改めて刺さりました。

安達：松村さんには「娘の幸せを願って話してください」とお願いしました。目の前にいるのは、あなたが育てたかった娘ですということを意識していてくださいと。亡くなった人と今を生きる人間の邂逅のシーンがこのような形でできたのは、昭和の時代をこれだけの時間をかけて描いてきたからだと思います。ここまで時系列で積み上げてきたからこそ、戦争を経験した世代の経験を色褪せずに伝え続けないといけない、という感覚がありました。

堀之内：稔のセリフは戦争を経験した世代からのバトンです。「これからの１００年をつくるのはあなたたちだよ」という思いを多くの方に受け取ってもらいたいと願いましたし、試写で見た時は自分自身、体が熱くなるのを感じました。

るいと稔が出会う神社のシーンは年が明けてから撮りました。撮影の前々日、雪が降りまして、真夏のシーンで雪があるわけにはいかないため、制作スタッフが地元の方のご協力も頂きながらがんばって雪をなくしました。他にも、美術スタッフが夏の花を飾ったり、陽炎を作ったり、照明スタッフが夏の太陽を作ったり。深津さんやオダギリさんにも半袖でお芝居をして頂きました。映像から冬を感じなかったとすれば、それはみんなであのシーンを作りあげた成果です。そういうことを含めて、様々なことの積み重ねでこの世界ができているし、ドラマもできている。積み重ねの大切さを感じる出来事でした。

——ここまで展開に驚きながら見て楽しむことができるのは事前情報が少ないからです。『カムカム』はノベライズも出版されず、ドラマガイドのあらすじの分量も少なく、我々マスコミが事前に見ることのできる台本も直近までしか公表されません。クランクアップの写真も異例のシークレットでした。これらはすべてすぐにネタバレが拡散してしまうSNS時代の戦略なのでしょうか。

堀之内：ネタバレには気をつけました。ネタバレに気を使う理由はふたつあります。ひとつはオリジナルストーリーだからこそ誰も知らない結末を予想しながら見てほしいということです。藤本さんの脚本は伏線が巧妙に張り巡らされ、最後までほんとうにたくさんの仕掛けが隠されています。それを楽しんでいただくためにできるだけ先のことは明かさないように情報出しの慣例的なことも一から洗い直しました。たとえば朝ドラのガイドブックのあらすじは、これまで先々までの詳細なあらすじを掲載することが慣例のようになっていましたが『カムカム』ではできるだけ載せないでほしいと編集部に相談しました。安子が結婚する相手が稔なのか勇なのかというところから楽しんでほしくて、ガイドのpart1の長めのあらすじ掲載は第3週までに留め、あとはかなり短いものになっています（『おかえりモネ』や『おちょやん』は第11週まで、『エール』は第14週まで掲載されている）。

第2ポイントは、ドラマを俯瞰して見てほしくないということです。我々が未来のことを予測できないことと同じように、一歩ずつ物語を感じていってほしい。要するに、物語の先を情報として知ったうえで鑑賞するのではなく、視聴者の方々にもヒロインたちが歩んだ時代、時代を一緒に生きていってほしいという願いがあり、そのために先の展開をできるだけ事前に知ってほしくなかったのです。テロップで年号を入れなかったのもそのためです。年号を入れてしまうと、何年後にはこれが起きるだろうと心の準備ができてしまいます。戦争の時期は特にそうで、何年後、何ヶ月後に戦争が終わることを当時生きていた人たちは知りません。我々がいつコロナ禍が終わるかわからないように、過去の出来事も、未来を先回りすることなく観て

ほしくて、できるだけ先のことをわからないような描写を心がけました
タイトルバックの出演者のクレジットに関しても、ストーリー上、まだ何者かわからない時期には「謎の振付師」（算太のこと）や「不機嫌な女優」（すみれ〈安達祐実〉のこと）などとしました。基本は台本に書かれた言葉を生かしています。例えば、大阪編の第9週でるいがライブハウスに行ったとき、ベリー（市川実日子）とトミー（早乙女太一）がライブを観ていますが、その回のクレジットに「ベリー」と「トミー」とは出さず、台本のト書きに書かれてあった「おしゃれな女」と「すかした男」表記にしました。そういう工夫も予想外に多くの視聴者の方々に楽しんでいただき、SNSで表記について感想を書いてくださっているかたもいてありがたかったです。

話題になったクランクアップの写真を出さなかったことに関しても、ドラマを純粋に最後まで楽しんでほしいという思いからでした。撮影が終了したことがドラマを見る時の気持ちに影響しなければいいなと思ってあまり話題にならないようにしたつもりだったのですが、結果として「すごいフィナーレがあるのでは」と話題になったのには驚きました。でも、物語の結末にふさわしい素敵なフィナーレがご用意できたと思っておりますので、最後までぜひお楽しみください。

（初出：「〈カムカムエヴリバディ〉。ついに3代が繋がった「岡山の奇跡」。感動を生み出した要因は徹底したネタバレ管理にあり」「Yahoo!ニュース 個人」2022年3月18日）

『カムカムエヴリバディ』
金太の味が引き継がれたおはぎに懐かしい顔ぶれ 奇跡と輝きに満ちた最終回

上品な演出が日常へ戻してくれた〝善き物語〟としての終幕

「Lets enjoy kaitenyaki together」

最終回。回転焼きの名前のごとく、ぐるりとまわって1925年の安子（上白石萌音）からはじまる物語は、孫のひなた（川栄李奈）が2025年に新しくはじめたラジオの英語講座のテキストだった。安子（森山良子）のすすめでアメリカで英語と映画を学んできたひなたは帰国後、彼女の家族3代の物語を英語で書いた。それをやさしい音色で読むのは、ドラマのナレーションしていた人物（城田優）だった。彼はウィリアム・ローレンス。通称・ビリー。子共時代にひなたが淡い想いを抱きながら、英語で会話することができなかった人物――。

「オン・ザ・サニーサイド・オブ・ザ・ストリート」が流れるなか、「Lets enjoy kaitenyaki together」とひなたはあの日、言えなかった言葉をビリーに語りかける。「メリークリスマス・ミスター・ローレンス」(『戦場のメリークリスマス』より)とは呼びかけなかったけれど。クリスマスの奇跡がたくさんあった『カムカム』は最後の最後まで「クリスマス」が関係して見える。2025年、桃太郎(青木柚)が継いだ大月の店ではクリスマスのお人形がお尻を振っていた。るい(深津絵里)は少女のとき言えなかった言葉「I love you」を安子(森山良子)に言えた(第111回)。

ひなたや安子のように、言えなかった言葉を言うことができる。錠一郎(オダギリジョー)や虚無蔵(松重豊)や五十嵐(本郷奏多)や桃太郎ように挫折しかかったことがあとあと叶う。人はもう一度やり直すことができる。それはどんなに時間がかかっても。

時間は一本道ではなく、立体ジャンクションのようになっていて、運命や縁はぐるぐると回って、歩き続ければ一度離れてもまた戻ってくることがある。戦後、金太(甲本雅裕)のおはぎを盗んだ少年は金太の味を引き継いで「たちばな」として和菓子屋となり、まわりまわって運命のクリスマス・ジャズ・フェスティバルに協賛していた。

コワモテの田中(徳井優)と血縁なのかわからないそっくりの人物が一子(市川実和子)の夫であった。きぬ(小野花梨)の孫・花菜(小野二役)は桃太郎と結婚。すみれ(安達祐実)とモモケン(尾上菊之助)が「おゆみ、待たせたな」と結婚(黍之丞を慕っていたおゆみという伏線であった。伏線とはこういうのがベスト）。きぬの孫を「きぬちゃん」と小夜吉を「吉右衛門ちゃん」と見間違えた安子は100歳でも健在。ひなたは60歳独身だが30代のように若々しくビリーとの関係にも希望があるように見える。世界がこんなにも向こう三軒両隣くらいに狭く繋がっていて、こんなにも満ち足りていると、逆にこわくなって第111回まで溢れていた涙が引っ込んだ。ただこの涙が乾くことこそが肝要なのだ。特別な物語は特別だからこそ終わるという物語のルールを『カムカム』は知っている。台本もそうなっているだろうし、チーフ演出の安達もじりさんのはしゃぎすぎない上品な演出が日常に戻してくれた。安達演出は上品で知性的で、ユーモアもあって申し分なかった。

エンド5秒では、上白石萌音と深津絵里と川栄李奈の3ショットを「京都市 赤螺吉右衛門さん」撮影クレジットで掲載していることで、『カムカム』は〝善き物語〟として幕を閉じた。物語は祭りだ。そこでは誰もが幸せになり、サプライズがあり、これでもかと盛り上がり、ひととき楽しんで終わっていく。物語という非日常が終われば、いつもの日常が待っている。だからこそ、物語は特別であり大切なのだ。世界がこんなにも満ち足りてあたたかい陽のひかりに包まれていたらどんなにいいか。祭りは祈りだ。世界がすてきでありますように。祈りながらsing a song。バーイ。

（初出：「エキレビ！」２０２２年４月８日）

長いあとがき、そして『ちむどんどん』

ネットと朝ドラ。『あまちゃん』でネットを介してみんなで分かち合い楽しむようになり、『ひよっこ』で朝ドラ語りが一般化し、『おかえりモネ』ではこんなになんでも言えるツールがあっても何も言えない人がいることを感じ、『カムカムエヴリバディ』で朝ドラ語りが、登場人物までもが行うことによってある種の成熟を迎え、『ちむどんどん』では物言う人、それも作品に意見する人が増え、ドラマ対視聴者（ネット民）という対立構造（一部は愛ゆえの批評も含まれる）が生まれた。10年、そして5年の間、急速にネットと朝ドラの関わりは様変わりしながら、より多くの人たちの関心事になっていることに朝ドラのコンテンツとしての強度とネットとの相性の良さを感じざるを得ない。

〝ネットと朝ドラ〟をテーマに本を書きませんかと、リアルサウンドの石井達也さんに声をかけられたことで、『ひよっこ』以降の朝ドラについて考えるひじょうにいい機会を得ることができて感謝している。

リアルサウンドはウェブ媒体で、映画やテレビドラマの記事を数多く配信している。リアルサウンドと朝ドラの関わりが深くなったのもちょうど『ひよっこ』からだったそうだ。

石井さんをはじめとした編集者たちが『ひよっこ』にハマり、はじめて広報写真の提供を受けてレビュー記事を出すと、読者からの反響もよく、PVも伸びて、終盤からは定期的に記事を出すようになった。ニュースも含め、毎日記事を出すようになったのは『わろてんか』から。以来、朝ドラ記事はリアルサウンドに欠かせない。筆者も何かと参加させてもらって、今回の書籍化の話が生まれた。

『ひよっこ』から5年、朝ドラの記事を担当してきた石井さんの感覚では、視聴率も注目度も高い朝ドラだからといって、毎シリーズ、PVも高めに安定しているというわけではなく、作品の内容によって波があるという。筆者もウェブ媒体で朝ドラの毎日レビューを2015年からやっているが同じ感覚だ。

波の大小、高低を含めてライブな感じが楽しい。「最終回に向けて賛否も含めて反響が加速していくのが他のドラマにはない朝ドラならではのダイナミズムのようなものなのだなと感じたものでした」と石井さんは言う。

ネット媒体は紙媒体と比べて媒体ファンがつきにくい。一本の記事がネット上で拡散されていくので媒体名を意識しない読者も多いからだ。なんでもヤフーニュースと思っている人も少なくない。だが、朝ドラレビューを毎日のようにやっているとそれを毎日定期的に読むユーザーが現れる。それも張り合いがある。朝ドラのみならず連続ドラマと伴走していくメディアとしてすぐに記事が出せるネットはとても具合がいい。その点、紙媒体はタイムラグがあり、ちょっと間に合わない。朝ドラが昭和の遺物として終わらず、平成後半から令和にかけて話題の中心になった要因にネットメディアとの伴走があるのは確実である。

ネットではマスメディアだけでなく一般ユーザーの自主的な活動も欠かせない。あま絵（『あまちゃん』の絵）、ぷく絵（『まんぷく』の絵）などと愛称のつくファンによる朝ドラの絵にはじまってハッシュタグ活動など一般ユーザーの力も大きい。このネットユーザー力が強い力を発揮したのが２０２２年度前期朝ドラ『ちむどんどん』である。「#ちむどんどん反省会」というアンチタグが勢力をつけ、それが逆に新たな視聴者を生む可能性という意外な現象を生み出した。

朝ドラの反省会タグはいまにはじまったものではない。「～絵」と同じく以前から存在している。

はっきり調べたわけではないが、『あまちゃん』でネットユーザーが朝ドラ語りする習慣が確立されて以降の現象のようである。前述したように、毎シリーズ、作品としての完成度が必ずしも高いわけではなく、賛否両論あるため、今回はちょっとついていけないと思う視聴者たちによって自然発生したようだ。

本編にも書いたが、賛否両論あるドラマで、否定派な者たちが、反省会というカテゴリーで棲み分けするための便宜的な手段である。発言の自由の権利を紳士的に行うためのものだ。どちらかというと密かに行われていたものだが、『ちむどんどん』に限っては「反省会」タグがTwitterのトレンドに上がるようになり、ネットニュースが記事にしはじめて、そちらのほうが注目されるという逆転現象が起こった。いったいなぜ、そうなったのか。

『ちむどんどん』は沖縄本土復帰50年記念作で、沖縄はやんばる地域に生まれた主人公・暢子(黒島結菜)とその家族の物語だ。時代は、沖縄がアメリカに統治されている頃からはじまり、1972年、日本に返還された年に、暢子は高校を卒業して上京し、料理人の修業をはじめる。幼い頃から美味しいものに目がなかった暢子は、鶴見の沖縄県人会会長に紹介された銀座のイタリア料理の名店に勤務し、シェフ代行をつとめるまで成長していく。このレストランのオーナー大城房子(原田美枝子)が暢子の父・賢三(大森南朋)の親戚だったという運命的な出会いから、暢子が知らなかった父や母・優子(仲間由紀恵)の戦争体験を知ることになる。暢子たちは、自分たちがいま生きていることは過去と切り離せないことを学んでいく。

鶴見での偶然の出会いは房子だけではない。暢子が幼い頃、東京からしばらく滞在していた青柳和彦(宮沢氷魚)と再会し、いつしか恋愛感情が芽生え結婚を考える。だが、和彦の母・重子(鈴木保奈美)に住む世界が違うと反対されて……。

この原稿を書いている時点(8月上旬)では、沖縄の伝統的な衣裳・琉装で結婚式を行うところまではわかっている。その後、暢子は自分の店を持ち、子供もできて……という流れになっていくのだろうか。これまでの朝ドラ的な流れから推測すると主人公の子育ても描かれるだろう。

なにかと偶然や運の良さで解決することがいささか多い気はするが、従来の朝ドラもそういうところはあった。『ちむどんどん』が反省会タグを賑わせた要因はそこではない。主に2点あって、主要な登場人物に共感できないことと様々な考証ごとへの疑問である。

序盤、沖縄編では、暢子の兄・賢秀（竜星涼）が勤勉でなく、一攫千金を狙って、博打をしたりあやしい儲け話に騙されたり。借金ができると優子が肩代わりする。長女の良子（川口春奈）は、いい縁談を断って石川博夫（山田裕貴）と結婚するが、仕事と結婚を両立させたいからと実家暮らしをし、婚家との交渉は夫任せ。結婚生活と仕事の両立といいながら料理は一切しない。等々、あげたらキリがない。極めつけは暢子だが、これは後述するとして、様々な考証ごとへの疑問も次々沸いて出た。代表的なものは出てくるイタリア料理がドラマの時代（1970年代）にはまだないものや、専門家が見ると疑問を感じるようなもので、いかがなものかという声だ。小道具の間違いを指摘する意見もあった。『ちむどんどん』に限らず、テレビ番組では、専門家や識者や視聴者による指摘は往々にしてあるもの。でも、シリーズで1、2回、目立ったものがあるくらいである。『ちむどんどん』は1、2回では済まない。

情報の是非にしても、登場人物の倫理観にしても、視聴者がツッコむことで完成するツッコミエンタメと考えることができる。「〜〜絵」や評論はある程度の時間や技術が必要になるが、ツッコむことならSNS（主にTwitter）で最も手軽に参加できる。『ちむどんどん』はSNSとドラマが極限まで人を選ばず関われる作品になったといえるのではないか。

あえて議論を起こそうとするかのようにドラマが一般常識からズレて見えること。筆者はそれをリアルサウンドのレビューで『ハムレット』のセリフ「この世の関節が外れてしまった」になぞらえてみた。ハムレットはデンマークとノルウェーで戦争が行われているなかで、デンマークの王室で起こる陰謀の真相をハムレットが糺そうとする物語だ。ハムレットを含めて主要な登場人物たちが父を亡くして行動規範を失い、自分の力で秩序を取り戻そうと奮闘する。そこも、『ちむどんどん』に似ている。主人公の父も、相手役の父も、幼馴染もみな父を早くに亡くしている。それは、過去を、歴史を、語り伝える人がいない状態を表す。過去を知る者がいなくなる前に、残された者は引き継がないといけない。

例えば、『ちむどんどん』の主人公の故郷・沖縄はもともとは琉球王国という独立国だった。それが日本の一部となり、一時はアメリカの占領下に置かれ、日本に戻った。祖先の文化や歴史がありながら、そこに日本やアメリカの文化や歴史が混ざったことで、独自の個性を形作ったともいえるだろう。ドラマには、本土の価値観だけで沖縄を見るのではなく、もっと深く知り、尊重していこうという思いを感じる。おりしも時代は、多様性を重視しようという考え方が広がっている。それまでの価値観が大きく変化し、ジェンダー・フリーに代表される、男はこうすべき、女はこうすべきという認識を改める努力がされている。朝ドラはもともと、女は主婦をやって夫を支えるべきというような枠から飛び出そうとするヒロインが描かれてきた。

だが、本書の中でも触れているが、積極的に社会進出することだけがすべてでもない、視点はさらに進化している。そのため、憧れの職業のトップランナーのような属性ではない、何もできずに、立ち止まっている人物を主要人物に据えたドラマも誕生してきた。

『ちむどんどん』は当事者が絶対正しいというふうに描かない。慎重に、あらゆる立場に配慮しているように感じる。これは、『おかえりモネ』の項目で書いた、配慮のあまり何も言えなくなってしまった人たちの存在と同じものを感じる。

『ちむどんどん』は主人公・暢子が料理人になる話ではあるが、彼女の信念は周囲、あるいは視聴者を困惑させる。最も、反省会タグが盛り上がったのは、沖縄で出会った東京から来た和彦に6年交際している恋人・愛（飯豊まりえ）との結婚話が持ち上がったとき、暢子と和彦はじつはお互い、気になっていたことを意識しはじめ、結果的に愛が身を引き、暢子と和彦が結婚することになるエピソードだ。それだけでも物議を醸したうえ、お互いの愛情を確かめ合うきっかけが、沖縄戦の遺骨収集をしている人物の体験談だったのである。少女の手を離してしまった悔恨で遺骨を彫り続けている人物の話に、暢子の手を離さないと決意する和彦。戦争で亡くなった母の弟と、母の悲しみの分まで幸せになろうと思う暢子。それを重ねていいものかという疑問がネットにたくさんあがった。

これをどのように捉えるか。一緒にすべきでないと思う人、生き残った者が幸福になり平和な世界を作るという考えはあっていいと思う人、様々で、なんであろうと自分で考えることが大事であるということなのだろう。

自分で考えて声を出すために、ネットはひじょうに使えるツールである。それぞれが自分の経験に即しながら考え、その考えをネットという俎上に乗せることで、瞬時に、じつに多くの考えがあることが可視化される。共感する者、しない者、間違いに気づく者、間違いではない可能性を示す者……まるで世界の縮図である。そして、ありえないと断じてしまうことは、世に言われるハラスメントではないのかともふと思ったりもするのだ。なぜありえないと思ってしまうのか。許容できない基準とは何なのか。考え出すと止まらなくなる。以前、『半分、青い。』でチーフ演出家・田中健二に取材したとき筆者、自由奔放で世間からいかがなものかと思われていたヒロインが、実家に帰ったときまず仏壇にお参りするというト書きが台本にあったがオンエアではカットされていたことについて聞いた。すると「ヒロインにはいい子であってほしいとは思うものの、鈴愛にはできるだけ本能で生きてほしいので、どうしても善行部分が二の次になってしまいます」と回答された（『連続テレビ小説『半分、青い。』LAST PHOTO BOOK』東京ニュース通信社、2018年）。筆者的には、朝ドラファンは主人公が仏壇にちゃんとお参りしたら気分がいいだろうなと思ったし、脚本家もそこはちゃんと書いているにもかかわらず、あえて省いていることもあるのだということを知った。仏壇にお参りしなくても、心のなかで先祖を思っている人もいるだろう。まったく気にしない人もいるだろう。人はそれぞれで、当たり前ということはひとつだってないのである。いや、「ならぬことはならぬものです」（by『八重の桜』）と信念を曲げないこともあっていい。実際、やってはいけないことはあると思う。『ちむどんどん』の登場人物の独特の倫理観に首を傾けネットに意見を書く視聴者に、ドラマはどんな回答をラストに届けてくれるだろうか。

フェイクニュースだ、アルゴリズムだ、でんでん現象だ、炎上だと個人がネットで目にするものは絶対ではなく、注意してつきあわないといけないとはいえ、これだけ多くの自分と異なる意見を目にすることができる世界の進化はおもしろい。それがときとして巨大な集合になって他者を攻撃することにもなったり、誰一人傷つけないようにと思ってかえって何も言えなくなったり。そのせいでかつてのような物語の強度が弱まっていることも感じる。いいこともあれば悪いこともある。こんなことを考えさせてくれる『ちむどんどん』は『ネットと朝ドラ』にこれほどふさわしい作品はないのではないか。本書で提示してきたネットと朝ドラの関係性が、『ちむどんどん』で一歩進んだと言えるだろう。

はじめて書いた朝ドラに関する書籍『みんなの朝ドラ』では朝ドラが毎日放送されてみんなが感想を言い合えることが平和の証だというようなことを書いたら、それを実感することも増えて来た。いまや、ネットで無数の多種多様な意見を可視化できているうちは平和であると感じている。

『ネットと朝ドラ』を出版するにあたって、NHK、そして朝ドラ制作に携わった方々、ネット媒体の皆様、再録を快諾してくださった媒体の方々、全員の名前を出したら書ききれないのでまとめてすみませんが、ありがとうございました。リアルサウンドの石井さん、松田広宣さん、校閲の春日洋一郎さん、デザインの川名潤さん、装画の六角堂DADAさんもありがとうございました。

いつもネットで記事を読んでくださっている方々もほんとうにありがとうございます。これからも朝ドラを見ておしゃべりしましょう。

『あまちゃん』時代、ドラマをみんなで語り合い共有する場だったSNSが、ドラマを考察することによって解体し〝俺たちの〟ドラマに再構築していく。こうしていくつもの〝俺たちの〟ドラマがメタバースのように増殖していく。

「朝ドラ」はいまや、視聴者の代弁者としての作家による強烈なテーマ性をもった物語ではなく、受け取る側がそれぞれの物語を作っていくものとなった。プレイヤーによって流れが変わっていくゲームのように、設定と属性とアイテムを用意して、ゆるやかな幅を作る。SNSが介入することでドラマが出来上がる。それこそが3・0時代なのだと思う。

朝ドラが視聴者それぞれの物語化する状況が加速した理由のひとつにコロナ禍があるだろう。感染防止対策のため国民が外出できなくなってテレビを見ることが増えた。家族以外の人物との生《なま》のコミュニケーションが減りSNSを活用することが増えていく。ドラマはドラマで、撮影が休止したり感染防止対策をとりながらの撮影を余儀なくされたりしてつくり方を変化せざるを得なかった。それらの要因が朝ドラに限らずドラマの考察ブームを呼び、家に閉じこもった視聴者がドラマを見て考察を楽しみＳＮＳで自己の見方を発表していった。コロナが収束した後もこの傾向は続くのか、それとも再び、過去のドラマ性の強いものに戻っていくのか。『カムカム』は物語性とゲーム性の中間で、『ちむどんどん』はゲーム性が強いものになっている印象だが、２０２３年以降の『らんまん』や『ブギウギ』などは作家性の強い脚本家（『らんまん』長田育恵、『ブギウギ』足立紳）を選定しているため物語性に回帰する可能性もある。朝ドラがどこに向かうのか。ネットと共に見守りたい。

Real Sound Collection

木俣 冬（きまた　ふゆ）

フリーライター、ノベライズ作家。テレビドラマ、映画、演劇に関する取材、評論などを行う。主な著書に『みんなの朝ドラ』『挑戦者たち トップアクターズ・ルポルタージュ』『ケイゾク、SPEC、カイドク』。企画、構成した書籍に『蜷川幸雄 身体的物語論』『庵野秀明のフタリシバイ〜孤掌鳴難〜』、ノベライズに『ちょっと思い出しただけ』『小説 嵐電』『コンフィデンスマンJP』『連続テレビ小説 なつぞら』などがある。2015年から毎日朝ドラをレビューしている。ヤフーニュース個人オーサー。

ネットと朝ドラ

2022年10月３日　初版第一刷発行

著者　木俣 冬

発行者　神谷弘一

発行・発売　株式会社blueprint

〒150-0043
東京都渋谷区道玄坂 1-22-7 5F/6F
Tel: 03-6452-5160　Fax: 03-6452-5162

装丁　川名 潤

企画　神谷弘一（株式会社blueprint）

編集　石井達也（株式会社blueprint）
松田広宣（株式会社blueprint）

編集協力　春日洋一郎（書肆子午線）

デザイン協力　水谷美佐緒（プラスアルファ）

印刷・製本　中央精版印刷株式会社